Volume II/ 1er Chapitre
Courbes et obliques

Benedikt Taschen

A Shirley Porter

Remerciements

Lorsque les éditions North Light me demandèrent si je ne voulais pas écrire une série de manuels sur la perspective, je fus très intéressé et dis d'un œil pétillant: «Et comment!». Je pensais que la perspective était un jeu d'enfant et que je pouvais m'acquitter de cette tâche en quelques semaines. Aujourd'hui, plusieurs mois après et revenu quelque peu à la raison, il me paraît évident que ce premier abord d'apparente facilité cache plus de choses. Il existe de gros livres sur la perspective qui vont au fond de la mathématique et du mystère de ce sujet. Mon travail a été d'offrir des petits volumes qui laissent de côté l'aspect de mystère pour se concentrer sur les aspects de la perspective que l'on doit connaître dans le domaine des arts plastiques. Si vous êtes architecte ou ingénieur, ces livres ne vous seront d'aucun intérêt. En revanche, si vous voulez peindre ou dessiner pendant vos loisirs ou dans votre travail, alors je crois que vous les trouverez utiles.

J'aimerais remercier deux personnes qui ont participé à la genèse de ces manuels: mon éditrice remarquable de la maison North Light, Linda Sanders, qui m'a constamment montré la direction que devait prendre mon manuel. Elle a vraiment collaboré à mes côtés au lieu de se tenir en retrait et d'accepter tout ce que je lui proposais. Je remercie également Shirley Porter qui a fourni quelques esquisses et qui, en plus, a contrôlé tous mes textes avant que je ne les donne à Linda en rayant sans pitié ce qu'elle jugeait moins intéressant. Je vous remercie beaucoup toutes les deux.

Perspective: Science de la peinture et du dessin dont le but est de donner aux objets représentés une apparence de profondeur et de distance ...

The Merriam-Webster Dictionary

Ce livre a été imprimé sur du papier exempt de chlore à 100 % suivant la norme TCF.

Titre original: **Perspective Without Pain** est paru en 1988 chez North Light/F&W Publications, 1507 Dana Avenue, Cincinnati, Ohio 45207
Traduction française: Patricia Blotenberg
Composition: Utesch Satztechnik GmbH, Hambourg
Impression: Druckhaus Cramer GmbH, Greven

Printed in Germany
ISBN 3-8228-9670-5
F

Introduction

Dans les deux chapitres du 1er manuel nous avons surtout examiné les corps réguliers et parallépipédiques, les lignes droites et les deux points de fuite. Heureusement que les choses que nous dessinons et peignons sont bien plus variées. Il y a là toutes sortes de lignes courbes, de plans inclinés et des milliards de points de fuite. Cette grande variété offre de nombreuses possibilités à notre art mais ne cause-t-elle pas aussi bien des problèmes? Comment allons-nous nous y prendre pour dessiner en perspective toutes ces formes courbes?

Et comment allons-nous dompter ces nombreux points de fuite? La meilleure manière de faire face à un problème manifestement nouveau est de partir des choses que l'on connaît déjà. Nous savons comment on dessine des objets rectangulaires en perspective et il est donc sensé de considérer un nouvel objet aux formes irrégulières comme étant à peu près orthogonal ou de le voir comme la somme de plusieurs rectangles ou de morceaux de rectangle. Quand un objet est rond, on peut se le représenter normalement comme s'il se trouvait dans une boîte rectangulaire: nous dessinons donc cette boîte en perspective et nous y insérons l'objet courbé. En ce qui concerne les nombreux points de fuite, nous n'avons affaire normalement qu'à deux ou trois points de fuite au maximum à la fois. Très souvent, il nous suffit de connaître la position approximative des points de fuite et nous ne sommes jamais obligés de les fixer exactement. Vous pouvez résoudre la plupart des problèmes de perspective grâce aux moyens dont vous disposez déjà et que ce manuel indiquera.

Le matériel nécessaire

Tout ce dont vous avez besoin se résume à quelques crayons (2B-tendre, HB-moyen et 2H-dur suffisent) ou, si vous préférez, du fusain, puis un peu de papier-calque, une règle, deux punaises, quinze centimètres de ficelle, un peu de carton, un miroir à main, un morceau de plastique dur comme, par exemple, du plexiglas, ainsi que quelques autres petites choses que vous avez certainement chez vous.

Commençons

Pour apprendre à surmonter les difficultés qui sont provoquées par les lignes courbes en perspective, nous nous tournons tout d'abord vers le cercle. Dessiner des cercles semble être simple au premier abord, néanmoins, vus en perspective, ils prennent la forme d'un membre de la famille du cercle moins connu: l'ellipse.

Qu'est donc une ellipse? Il existe bien une définition mathématiquement exacte de l'ellipse mais il est plus simple de se la représenter comme un cercle aplati. Dans l'un de ses écrits, J.D. Salinger écrit d'une figure que sa tête semble être comprimée par un étau de charpentier. Cette tête pourrait être une ellipse.

Les ellipses peuvent être larges (presque circulaires) ou étroites (presque comme une droite) ou avoir une forme intermédiaire. Il existe un grand nombre d'objets autour de nous qui, de nature, ont une forme d'ellipse: plats, piscines etc. La plupart des ellipses que nous voyons en réalité, sont, par contre, des cercles vus en perspective et c'est de ces ellipses que nous allons nous préoccuper surtout ici.

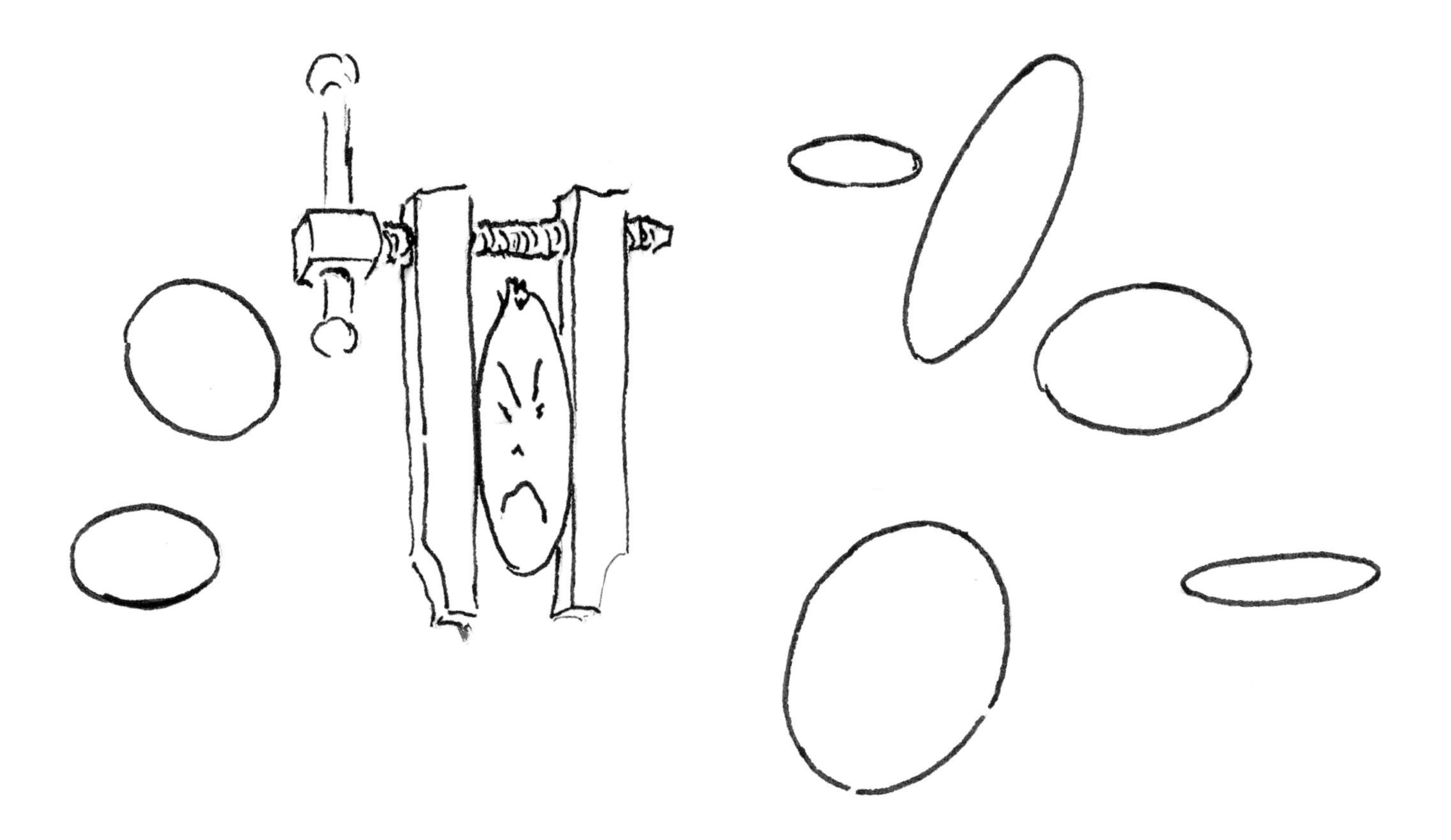

Cercles et ellipses

Prenez une boîte de haricots dans votre garde-manger et regardez le couvercle. Si vous le regardez bien en face, il est rond. Mais si vous le regardez de côté, le couvercle aura la même apparence que celle de l'un des deux autres dessins **ci-dessous**.

Imaginez-vous une ellipse de la façon suivante: c'est un cercle qui s'éloigne de vous.

Si vous fouillez dans le garde-manger, vous trouverez des formes elliptiques en masse. Jetez un œil par la fenêtre et regardez votre voiture. Si elle est garée dans un angle qui est dans votre direction, vous verrez les jantes et les pneus en ellipse. Regardez un abat-jour de haut, un disque à proximité, un bol à bouillon – ils sont tous circulaires, mais, considérés de la plupart des autres points de vue, ils paraissent elliptiques.

Je le répète: une ellipse est un cercle en perspective. Si nous parvenons à savoir comment dessiner un cercle en perspective, nous avons finalement une ellipse. Revenons à quelque chose de plus familier pour trouver comment dessiner un cercle en perspective: le carré. Comme vous le savez naturellement, un carré est un quadrilatère dont les quatre côtés sont égaux. On peut toujours tracer un cercle dans un carré de telle sorte qu'il soit tangent au milieu de chacun de ses côtés. Le point central du cercle sera au même endroit que le point central du carré – c'est l'endroit où les diagonales du carré se croisent. **Ci-dessous, à gauche**, un cercle est dessiné dans un carré (ou, si vous préférez, un carré autour d'un cercle).

Supposons que nous détournions un peu de nous ce carré (**ci-dessous, à droite**). Maintenant, le carré est en perspective et ses arêtes inférieure et supérieure marquent un point de fuite quelconque et lointain. Mais le cercle, lui aussi, a pris une autre forme. Il est devenu ellipse.

Tracez les diagonales dans la figure pour localiser le centre perspectif du carré comme on vous l'a montré au second chapitre du manuel 1. Le point que vous obtenez ainsi est aussi le centre perspectif de l'ellipse.

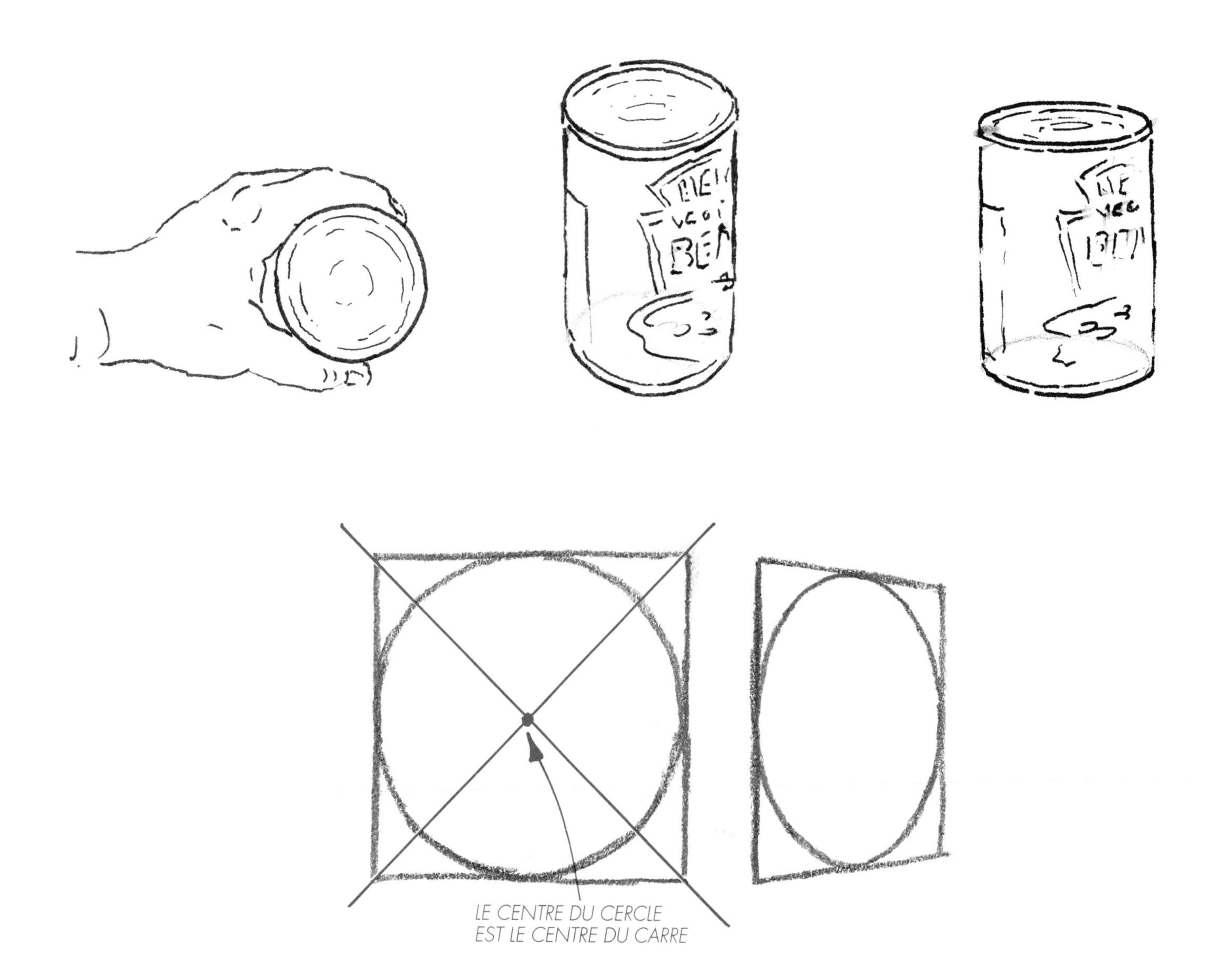

Tracer des ellipses

Vous pouvez tracer des ellipses de manières très diverses. Si on le fait à main levée, elles auront tout d'abord une apparence semblable à celles qui se trouvent en haut. Deux problèmes se posent ici. Une ellipse, tout comme un cercle, n'a jamais n'importe quelle courbure. Ayez toujours à l'esprit qu'une ellipse est toujours une courbe ininterrompue même à ses «extrémités» étroites; elle ne s'arrête jamais soudainement pour changer de direction mais ne fait que se courber uniformément jusqu'à ce qu'elle ait peu à peu changé de direction. Les chevaux ne s'arrêtent pas pour changer de direction sur un champ de course ovale. Ils tournent seulement dans la courbe et c'est ainsi qu'ils la passent en courant.

La deuxième chose à laquelle on devrait penser c'est qu'une ellipse est une courbe aux formes régulières: elle n'est pas en forme de goutte, pas plus épaisse à une extrémité qu'à l'autre.

La plupart du temps, vous tracerez une ellipse sans la dessiner vraiment dans un carré perspectif. Mais si vous devez effectuer quelque dessin compliqué dans lequel vous devez vous attacher à plus d'exactitude – peut-être êtes-vous en train de représenter graphiquement une pièce de machine par exemple –, il est alors adéquat de commencer par le carré dans lequel le centre perspectif se trouve marqué (**au centre, à droite**).

Marquez ensuite les centres perspectifs de chacun des côtés du carré (**tout à droite**).

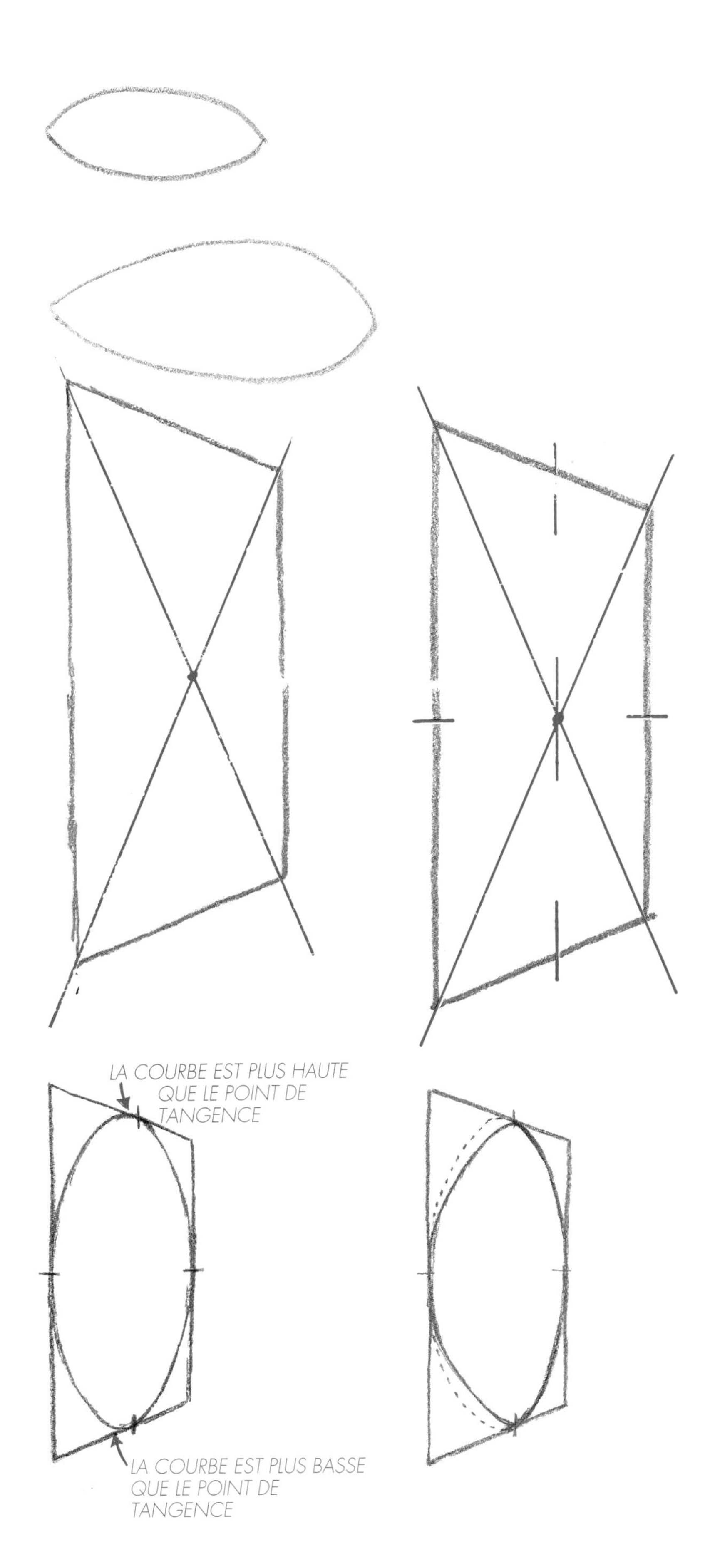

Tracez maintenant une légère courbe qui ne touche le carré perspectif qu'en chacun des quatre points que vous avez marqués et nulle part ailleurs. Mathématiquement parlant, on dirait que les quatre points sont les points de tangence du carré avec la courbe. Notez bien que la courbe doit passer par les quatre points dans lesquels elle est tangente au carré perspectif, (**ci-dessous, à gauche**), au lieu de changer de direction brutalement en ces points. Il est important que vous vous attachiez à faire ces tracés peu appuyés pour vous éviter de dessiner des courbes telles que celles qui se trouvent **ci-dessous, à droite.**

Exercice 1/**Acquérir le sens des ellipses**

Dans cet exercice, nous allons construire quelques ellipses qui concordent aussi avec la définition mathématique de cette forme. Ce faisant, nous ne voulons tout de même pas nous plonger dans n'importe quelle mathématique. Je voudrais seulement vous faire comprendre comment une véritable ellipse est formée. Je ne voudrais vous conseiller en aucun cas de tracer des ellipses de cette manière dans vos dessins. – Jamais!

Vous avez besoin de deux punaises, d'un crayon, d'un morceau de ficelle et d'un morceau de carton.

Etape 1: Enfoncez deux punaises dans un morceau de carton à un intervalle de dix centimètres. Fixez un morceau de ficelle d'environ 15 centimètres de long aux deux punaises; le plus simple est que vous les passiez au travers du fil. Tendez la ficelle en tournant la pointe d'un crayon dans la boucle lâche.

Etape 2: Tracez une courbe fermée en tenant le fil toujours tendu à l'aide du crayon. Ne vous donnez pas la peine de tracer complètement la courbe en un seul mouvement net. La ficelle s'enroule facilement dans la pointe du crayon et vous devrez la démêler de temps en temps. Si vous y parvenez sans retirer les punaises, alors vous finissez par avoir une véritable ellipse.

Maintenant, refaites le même exercice, mais changez tant l'intervalle qui se trouve entre les punaises que la longueur de la ficelle.

Pour votre information et votre inspiration intellectuelle: les deux points dans lesquels les punaises sont enfoncées s'appellent les foyers; la grande ligne sur laquelle se trouvent les foyers est l'axe directeur; la droite qui la coupe verticalement est l'axe secondaire. Vous vous sentez mieux maintenant?

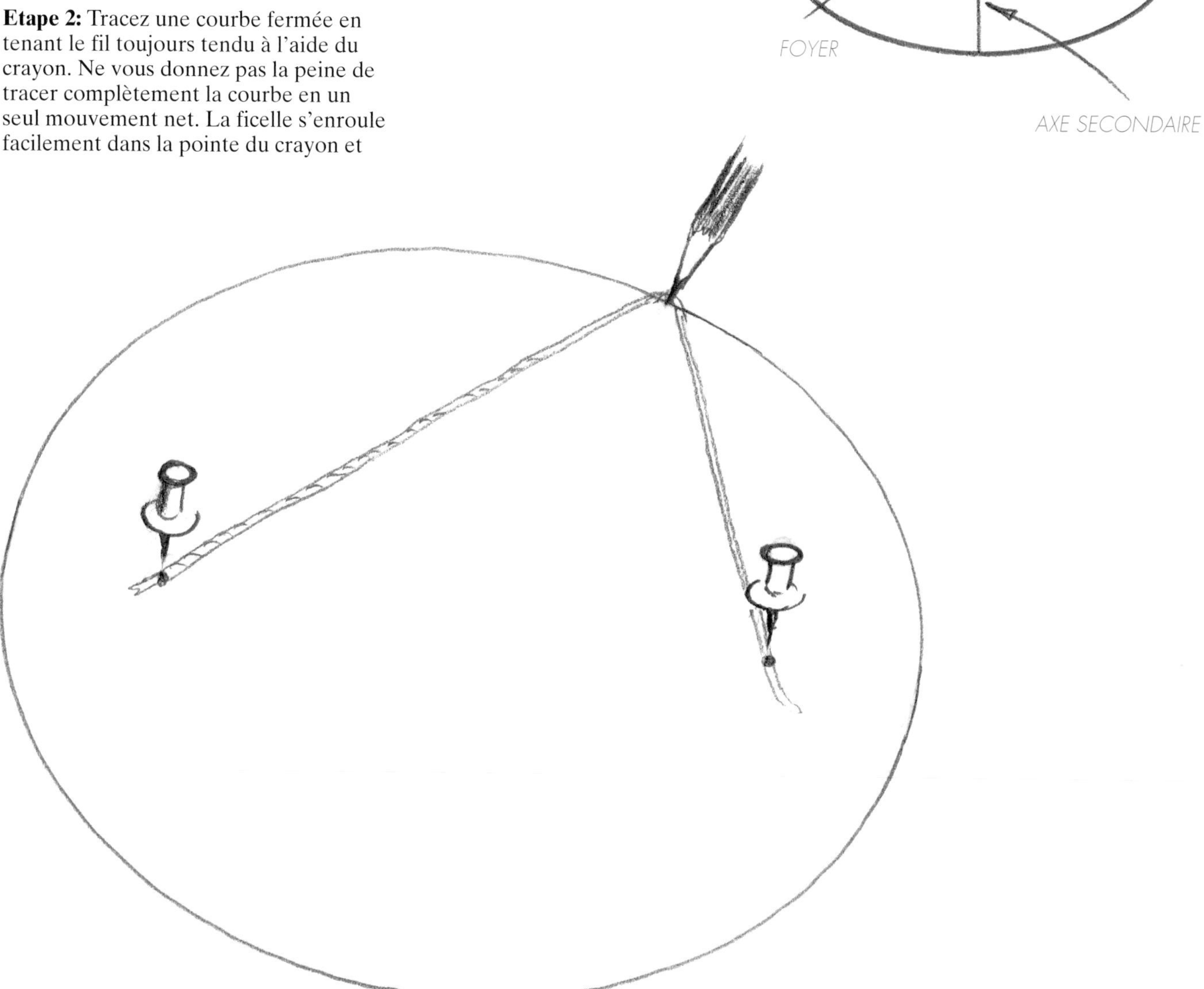

Voici deux carrés en perspective. J'ai indiqué sur les deux figures les points par lesquels une ellipse tracée devrait toucher les côtés du carré. J'ai déjà fait une ellipse à main levée dans le premier (**ci-contre**) et elle paraît tout à fait bien. Notez qu'elle ne touche le carré que dans les points de tangence gauche et droit. Observez de plus, que la courbe, après avoir rencontré le carré aux points de tangence droit et gauche, déborde encore avant de changer peu à peu de direction.

Suivez la courbe pour obtenir un sentiment de la direction qu'elle prend. Puis, tracez une courbe semblable dans l'autre carré en perspective (**ci-dessous**).

Un truc pour tracer des courbes: la plupart des gens trouve plus facile de tracer des courbes en partant de leur corps. Pour y parvenir, tracez une partie de la courbe, puis tournez le papier pour tracer le morceau suivant. Après quelques rotations, la courbe sera fermée.

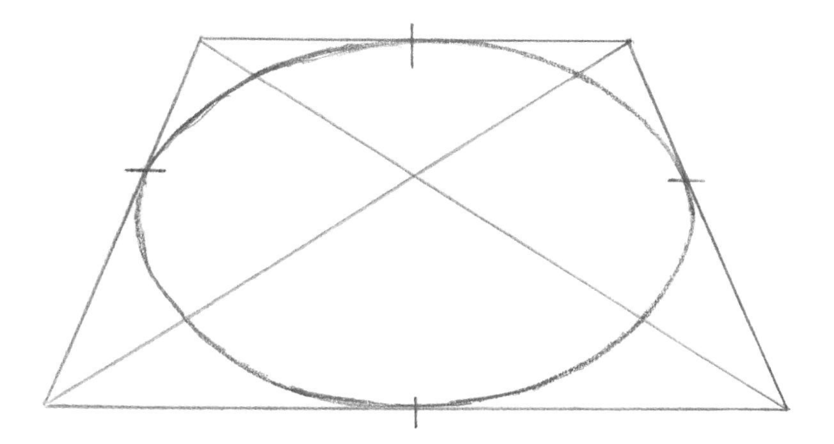

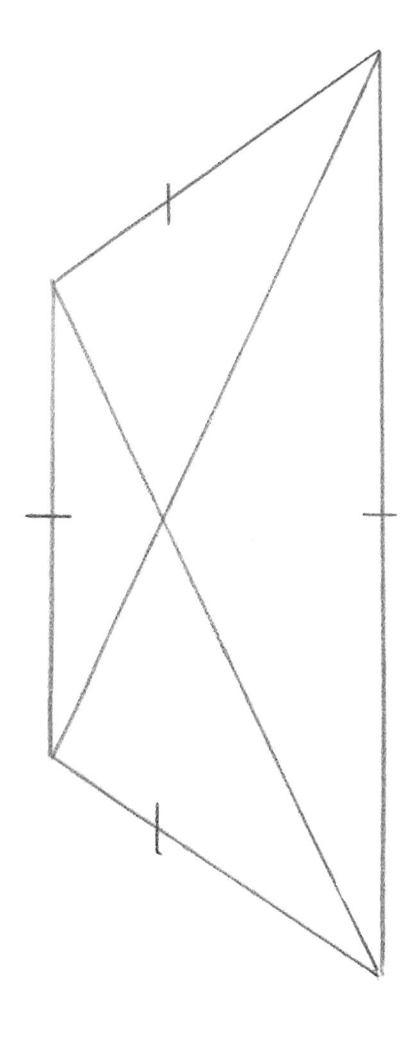

Exercice 3/ **Tracer des ellipses dans des boites**

Voici quelques carrés en perspective. Exercez-vous à tracer des ellipses (des cercles en perspective) en incorporant des ellipses dans chaque carré. Les diagonales sont déjà tracées dans quelques carrés, d'autres sont munies de points de tangence. N'oubliez pas que la courbe elliptique ne touche les côtés du carré qu'en ces points. Assurez-vous que vos courbes passent nettement par les points de contact et ne changent pas brusquement de direction.

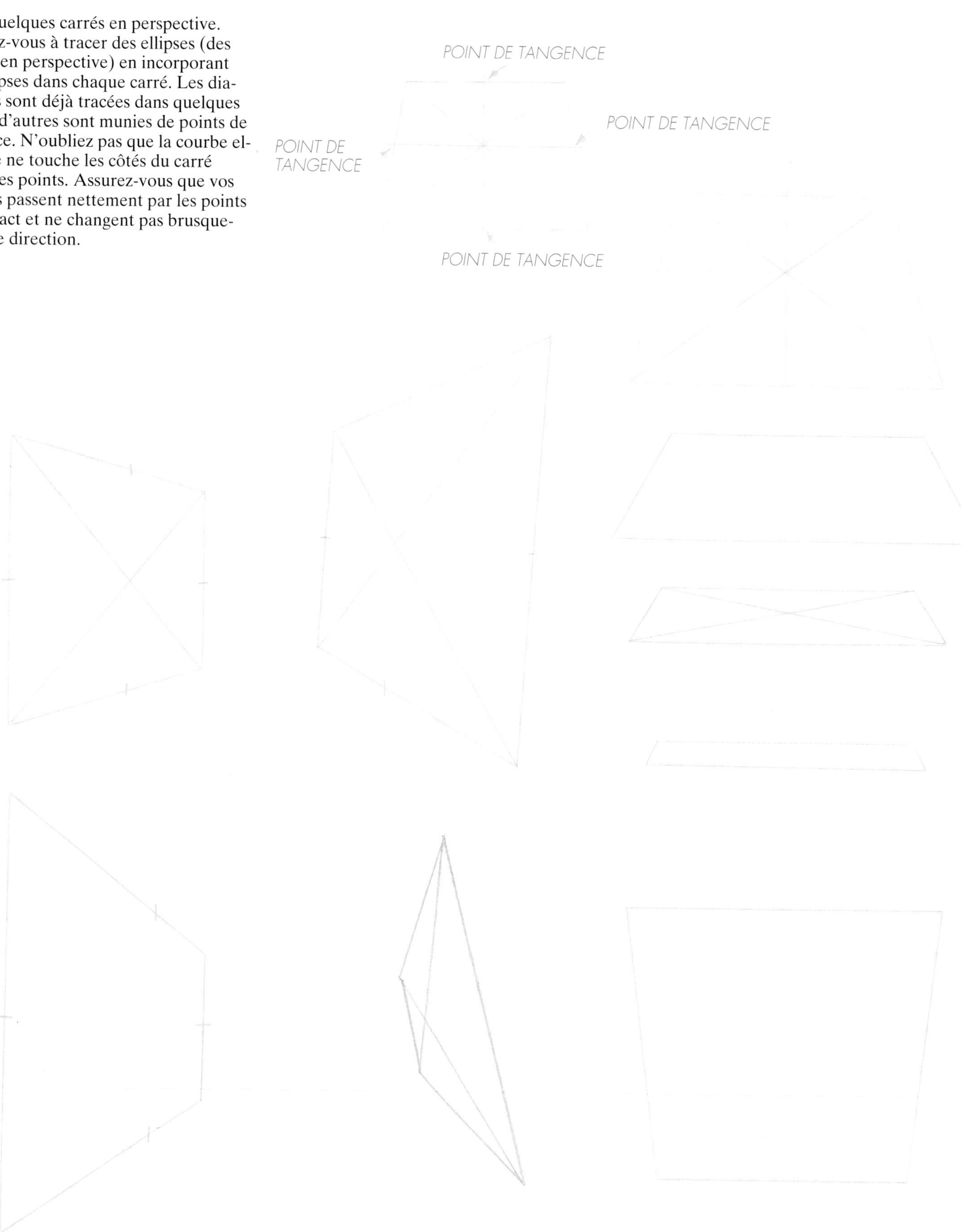

Objets circulaires

Nous ne sommes pas souvent occupés à dessiner des cercles simples et aplatis en perspective. Nous avons surtout affaire à des dessins d'objets à trois dimensions dont la coupe transversale est circulaire: des choses comme des bouteilles, des colonnes, des silos et des arbres. Nous allons voir comment nous pouvons mettre en pratique sur ces objets ce que nous avons appris sur les ellipses.

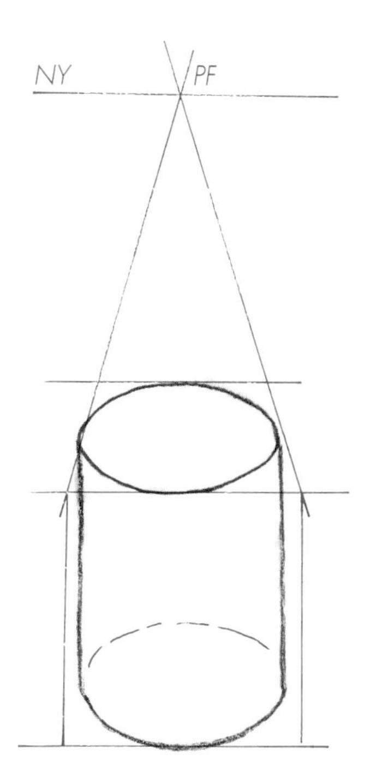

L'importance du niveau des yeux

Mais avant de commencer, laissez-moi répéter un conseil important: dans le manuel 1, j'ai insisté sur le fait qu'il était très important de fixer le niveau des yeux dans une toile avant de commencer à dessiner quoi que ce soit. Cet avertissement ne concerne pas seulement des objets à angles droits mais aussi des choses qui sont circulaires et limitées par d'autres courbes. Ne pas déterminer le niveau des yeux est l'une des erreurs les plus répandues dans le dessin et la peinture.

J'ai vu dans d'innombrables natures mortes, des vases de fleurs aussi horribles que celui **du centre, ci-dessus**. La partie supérieure du vase veut nous faire croire que le niveau des yeux est, dans le dessin, quelque part au-dessus de lui. D'un autre côté, le fond plat montre avec insistance que le niveau des yeux se trouve à la même hauteur que l'arête inférieure du vase. Il se peut que le peintre de nature morte ait voulu imiter un artiste célèbre qui s'était servi consciemment du moyen de la déformation. Déformez les objets si vous voulez, mais assurez-vous que vous le faites avec intention.

Revenons au garde-manger et à la boîte de conserve remplie de haricots. Au lieu de ne concevoir leurs extrémités que comme des cercles à l'intérieur de carrés, vous voulons comprendre la boîte de conserve complète comme un cylindre compris dans une boîte rectangulaire (**ci-dessus, à droite**).

Je n'ai inclus qu'un minimum de lignes de construction pour que l'on puisse encore tout juste se représenter la boîte. Si vous voulez, vous pouvez ajouter les arêtes cachées de la boîte pour vous entraîner. Il est important d'enregistrer que le fond de la boîte, l'extrémité donc, qui est la plus éloignée du niveau de vos yeux semble être une ellipse légèrement plus large (plus ronde) que le couvercle.

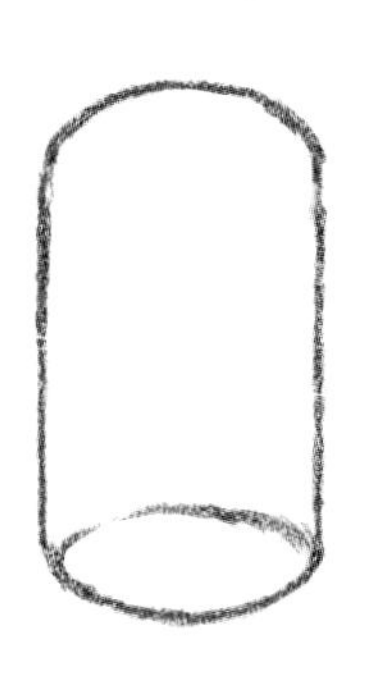

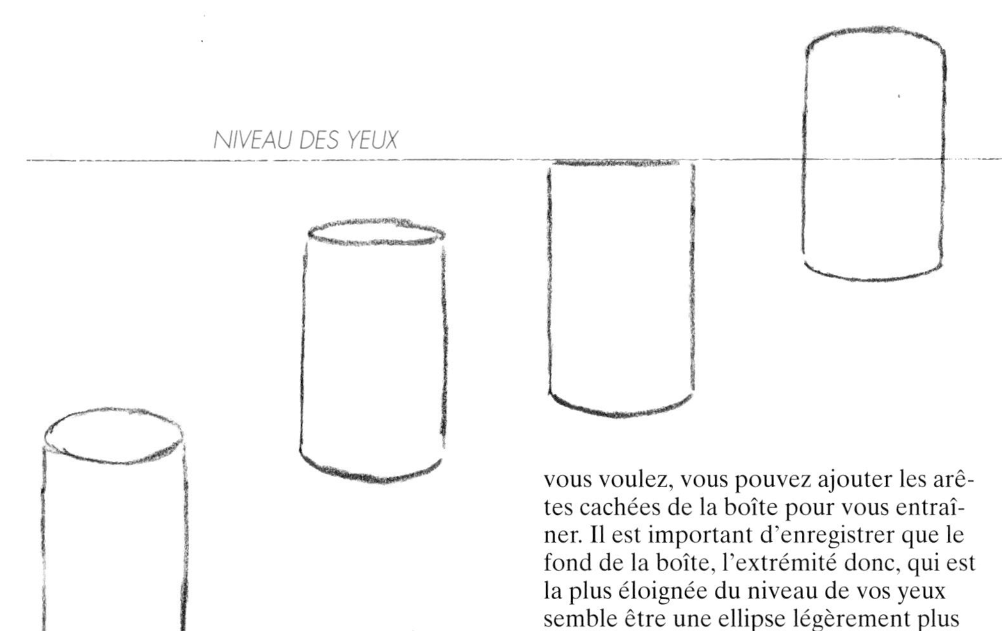

Plus l'arête supérieure d'un objet, comme par exemple, une boîte de conserve, s'approche du niveau de vos yeux, et plus l'ellipse sera étroite comme c'est le cas ici. Quand l'arête supérieure de la boîte de conserve se trouve exactement à la hauteur de vos yeux, on ne voit plus du tout de courbe – ce que vous voyez est une ligne droite. Et si vous élevez la boîte au-dessus du niveau de vos yeux, alors l'ellipse qui se trouve en haut sera la plus large. La raison pour laquelle une ellipse près du niveau des yeux est plus étroite qu'une ellipse qui se trouve à une plus grande distance des yeux réside dans le fait qu'on la voit plus en perspective.

Objets circulaires

Oubliez les haricots maintenant. Nous voulons parler d'argent. Voici, **ci-dessous**, un dessin de la première somme princière que j'ai reçue pour ce livre. Nous mettons de côté ce que les impôts vont réclamer. Il nous reste donc encore environ trois francs (**à droite**).

Vous voyez que chaque pièce est une ellipse, enveloppée dans un carré en perspective. Plus l'ellipse est loin du niveau de vos yeux et plus elle sera large.

Poursuivons en prenant un exemple tiré de la peinture de paysage. Dans l'esquisse **ci-dessous**, il semble que la grange et l'un des silos aient résisté contre vents et marées. L'autre silo semble avoir été érigé par un brave homme de Pise.

Le problème du silo penché est qu'il a une perspective exagérée. On a donné trop de courbure aux moulures autour du silo. En général, ceci est dû à ce que l'on a commencé au mauvais endroit pour dessiner les moulures. Quand on commence près du sol où se trouve le niveau des yeux comme dans le cas présent, on donnera, et c'est très naturel, plus de courbure à toute les moulures suivantes à mesure que l'on montera jusqu'à l'extrémité supérieure du silo. Plus elle s'éloignera du niveau des yeux et plus l'ellipse s'élargira. Une fois arrivé à la moulure la plus haute, on lui donnera plus de courbure qu'à toutes les autres; on a tout simplement exagéré et le silo semble basculer en arrière.

Une méthode possible pour éviter ceci serait de commencer par la courbure la plus accentuée à une extrémité et de travailler ensuite jusqu'à l'autre extrémité.

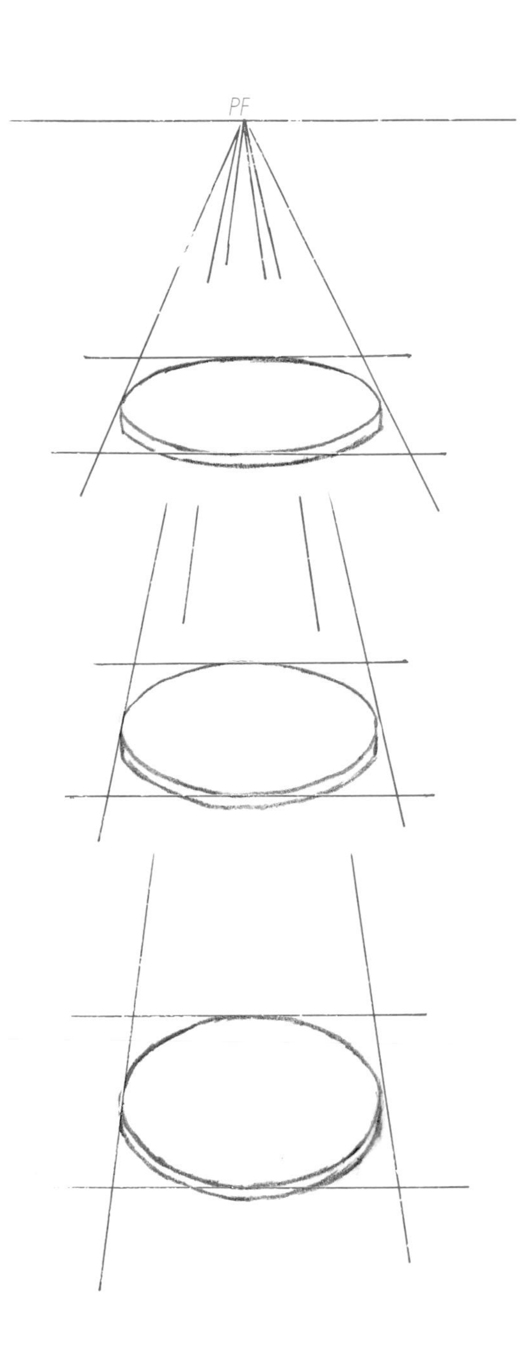

Voici un exercice simple qui doit vous aider à obtenir des courbes exactes. Vous remarquerez avec soulagement que l'exercice ne vous oblige pas à tracer des carrés en perspective et à y insérer des courbes. (Bien sûr, vous pourriez procéder de cette façon, mais cela nécessiterait une grande quantité de travail. Pouah! Et puis vous seriez obligé de faire des essais pour au moins avoir le sentiment de rendre exacts les carrés en perspective.)

Ces lignes parallèles verticales sont les côtés des trois silos. Les silos ont des toits et des bases plats. J'ai marqué le niveau des yeux pour chaque silo. Complétez les silos, s'il vous plaît, en traçant en perspective le sommet, le pied et – disons – cinq moulures entre eux. Pour ce faire, il faut que vous considériez dans quelle mesure le niveau des yeux influence le tracé de courbure des moulures.

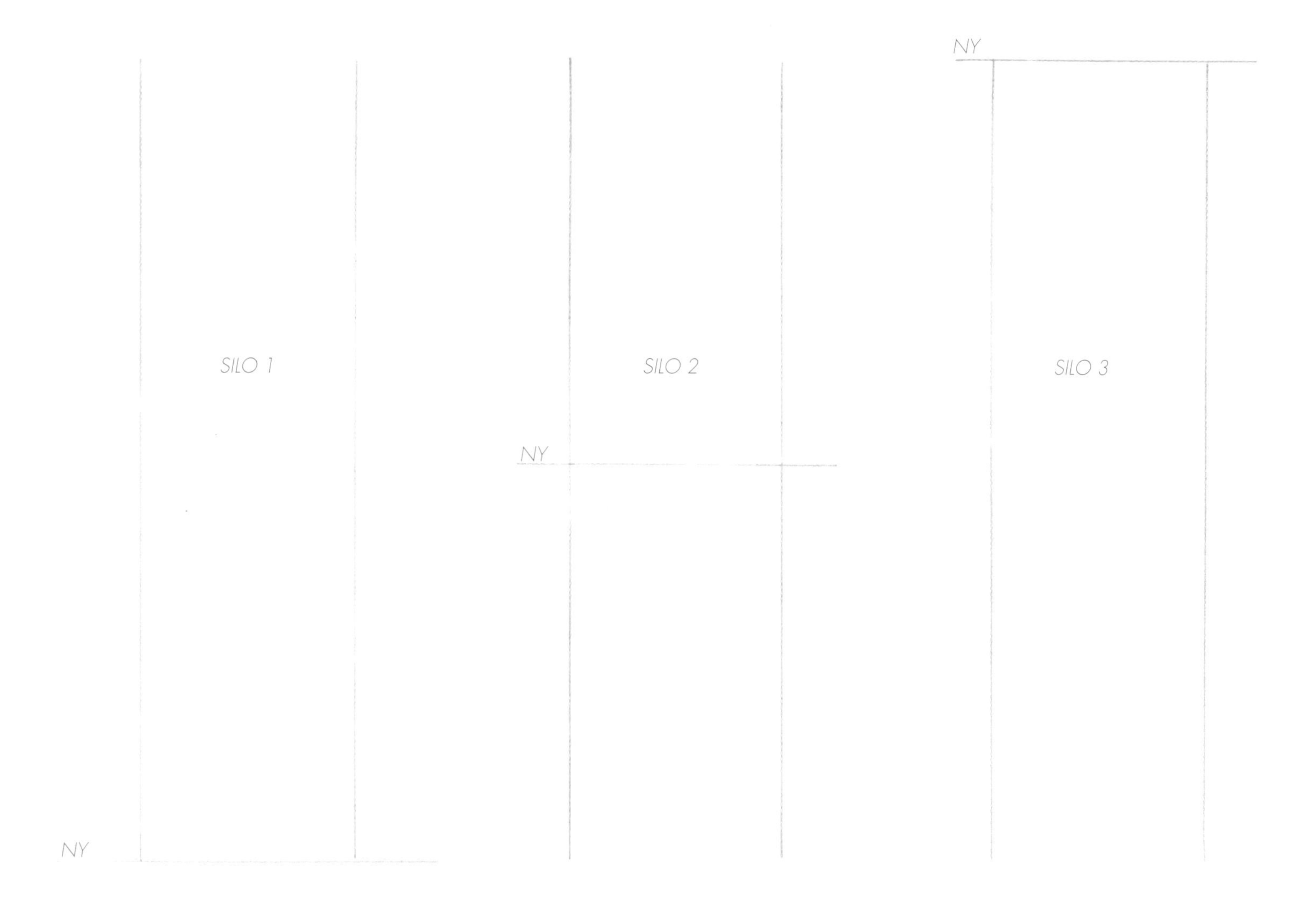

Compositions de cylindres

Les nombreux objets que vous dessinez ne sont pas des cylindres particuliers et réguliers comme par exemple un silo ou une boîte de haricots ou une pile de pièces. Certains sont des compositions compliquées de formes s'imbriquant les unes dans les autres.

L'un des objets que l'on dessine le plus souvent est l'arbre et on peut saisir sa structure de base comme un réseau de formes cylindriques qui s'interpénètrent. Imaginez-vous cet arbre (**ci-dessous, au centre**) constitué de cylindres ou d'un tas de tuyaux et installé par un plombier fou (**tout en bas**).

Quelquefois, il est plus simple de se faire une idée de morceaux de tuyaux mis les uns dans les autres plutôt que de voir ce qu'il en est de branches d'arbres. Je peins souvent des arbres et je trouve que ce modèle m'aide toujours beaucoup quand j'ai des difficultés à amener optiquement des branches en avant ou en arrière.

Vous pouvez jouer avec la même idée en comparant des boîtes de conserve ou d'autres objets cylindriques sous des angles divers bien que vous restiez limité quant au nombre maximum possible à tenir.

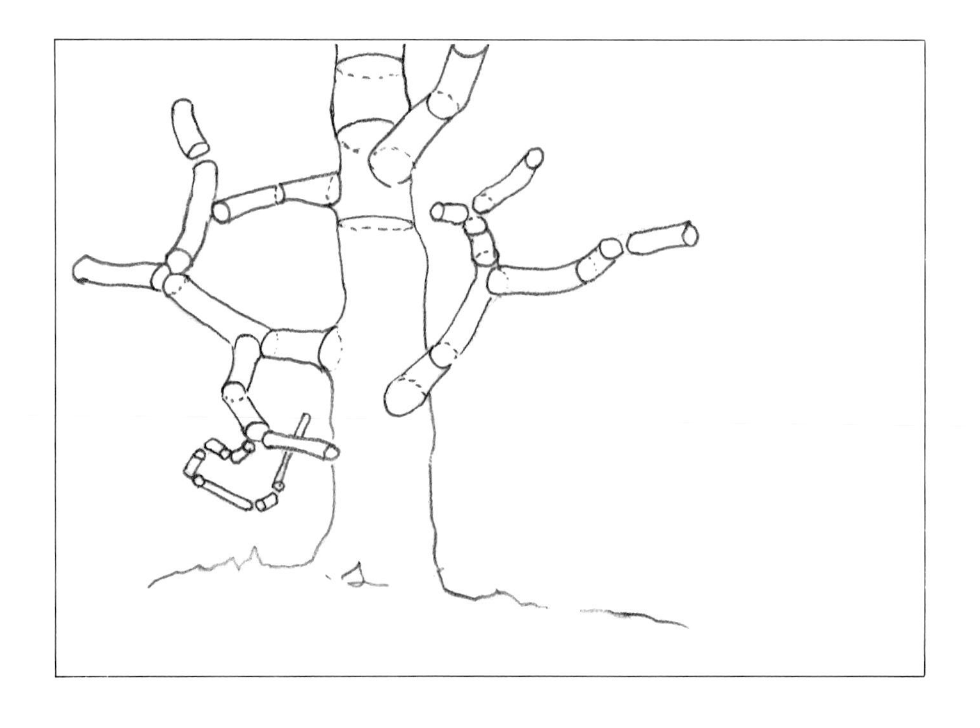

Personnes

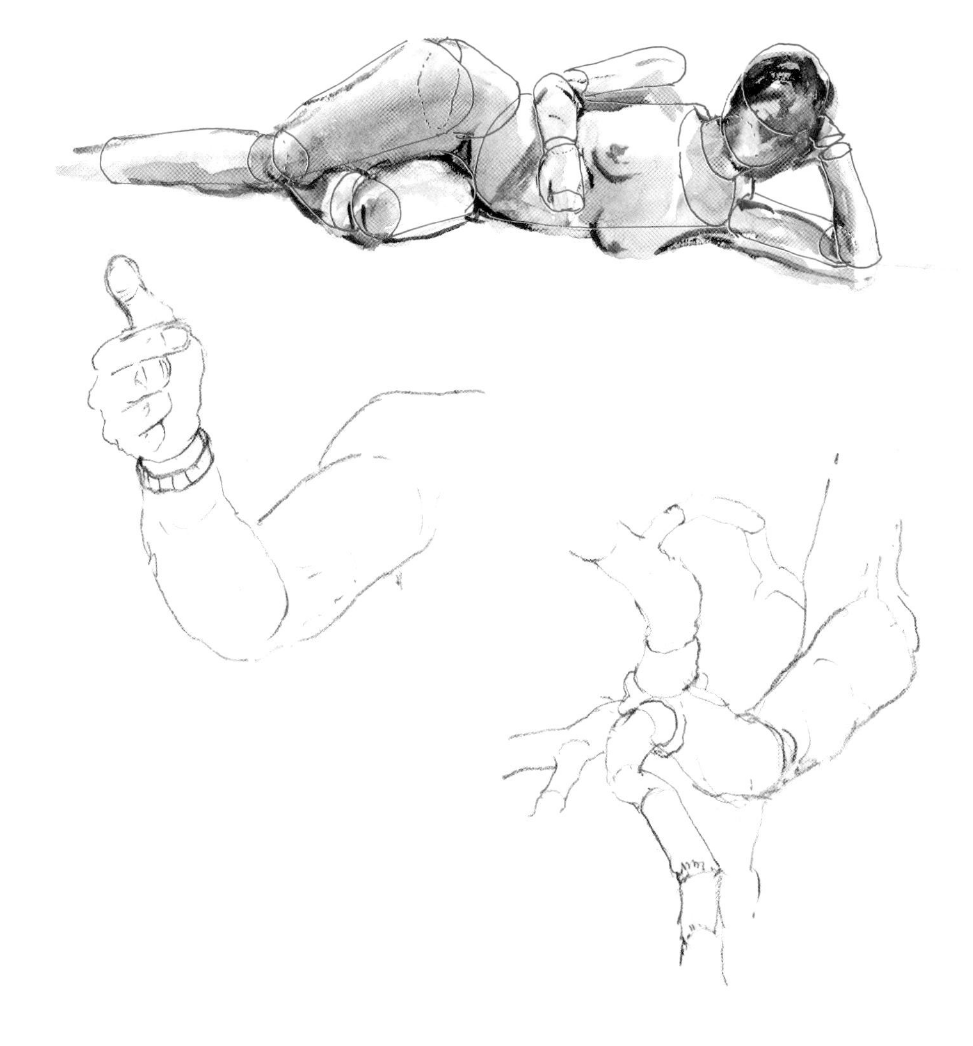

Vous pouvez utiliser la même idée sur le corps humain pour lui faire prendre forme et mettre ses parties en perspective (**ci-contre**).

Les êtres humains ne sont constitués que de courbes! Vous ne penserez certainement pas en premier lieu à l'anatomie humaine quand on vous demandera quel est le sujet approprié pour un livre sur la perspective mais réfléchissez-y encore une fois. L'une des qualités que nous nous efforçons de rendre en dessinant une personne est l'expression de la forme ronde ou de volume de corps, en opposition à des êtres plats sans profondeur. C'est de profondeur physique (contraire de la profondeur intellectuelle) dont il s'agit en perspective. Dans un paysage, nous avons affaire à des kilomètres d'espace en profondeur; en ce qui concerne les personnes, il s'agit de centimètres ou de mètres.

Le tronc humain et les branches humaines ne sont pas si différents que cela en structure. Dans les deux cas, il est utile de se représenter ces parties en cylindres – ou à peu près comme des cylindres – qui sont reliés les uns aux autres de multiples façons. Comme pour le dessin d'un arbre, cette comparaison aide beaucoup quand il s'agit de mettre en valeur des parties du corps humain ou de les atténuer.

(Quand on parle de tels dessins, on emploie habituellement l'expression de «raccourcissement». Ce mot ne veut rien dire d'autre que la réalisation de l'impression de profondeur grâce au raccourcissement de certaines lignes comme par exemple les lignes du bras ou de la branche. Quand nous détournons un bâtiment de nous de telle sorte que l'un de ses côtés paraisse plus court que ce que nous savons de lui en réalité, alors nous raccourcissons ce bâtiment.)

Si vous vous imaginez le corps comme une composition de cylindres, cela vous aidera à bien le saisir. Si vous «faites» un buste ou un bras, une jambe ou une tête, vous devez «dessiner au travers», comme on l'a traité au second chapitre du manuel 1 pour obtenir la sensation de volume. Tournez-vous vers des détails plus insignifiants comme le nez et les yeux, puis, dessinez au travers de ceux-ci et regardez-les comme des corps massifs et pas seulement comme des contours. On voit souvent que les yeux sont représentés comme des contours plats et en forme d'amande.

Si vous commencez à comprendre le globe de l'œil comme quelque chose de pratiquement sphérique et les paupières comme se trouvant autour de ces globes, vous parviendrez bientôt à dessiner n'importe quel œil.

Ajoutez un peu d'ombre de la paupière supérieure et un peu d'ombre (modelé) là où le globe de l'œil se courbe en s'éloignant de vous et votre œil commencera déjà à vivre.

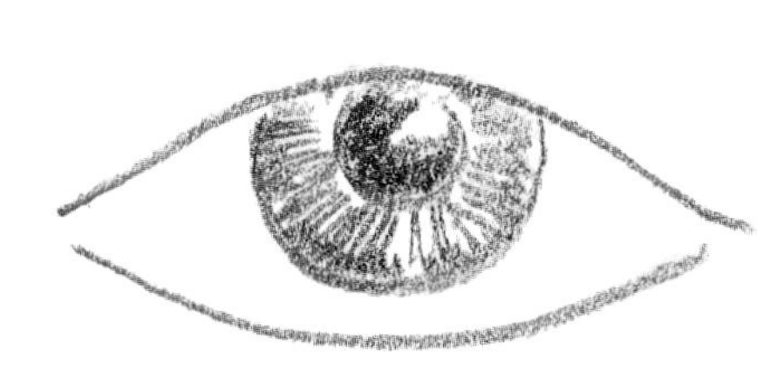

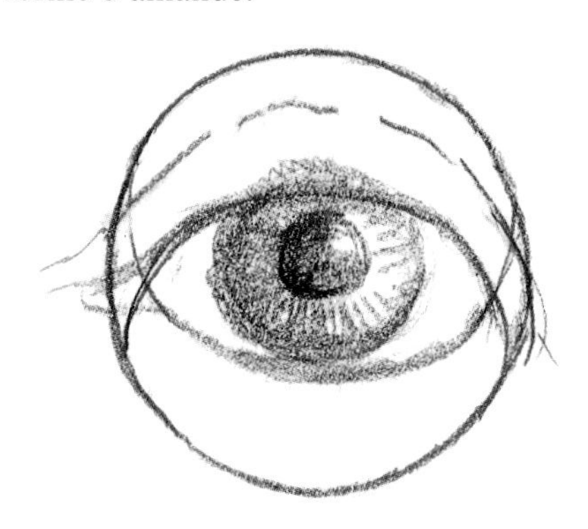

Compositions de cylindres

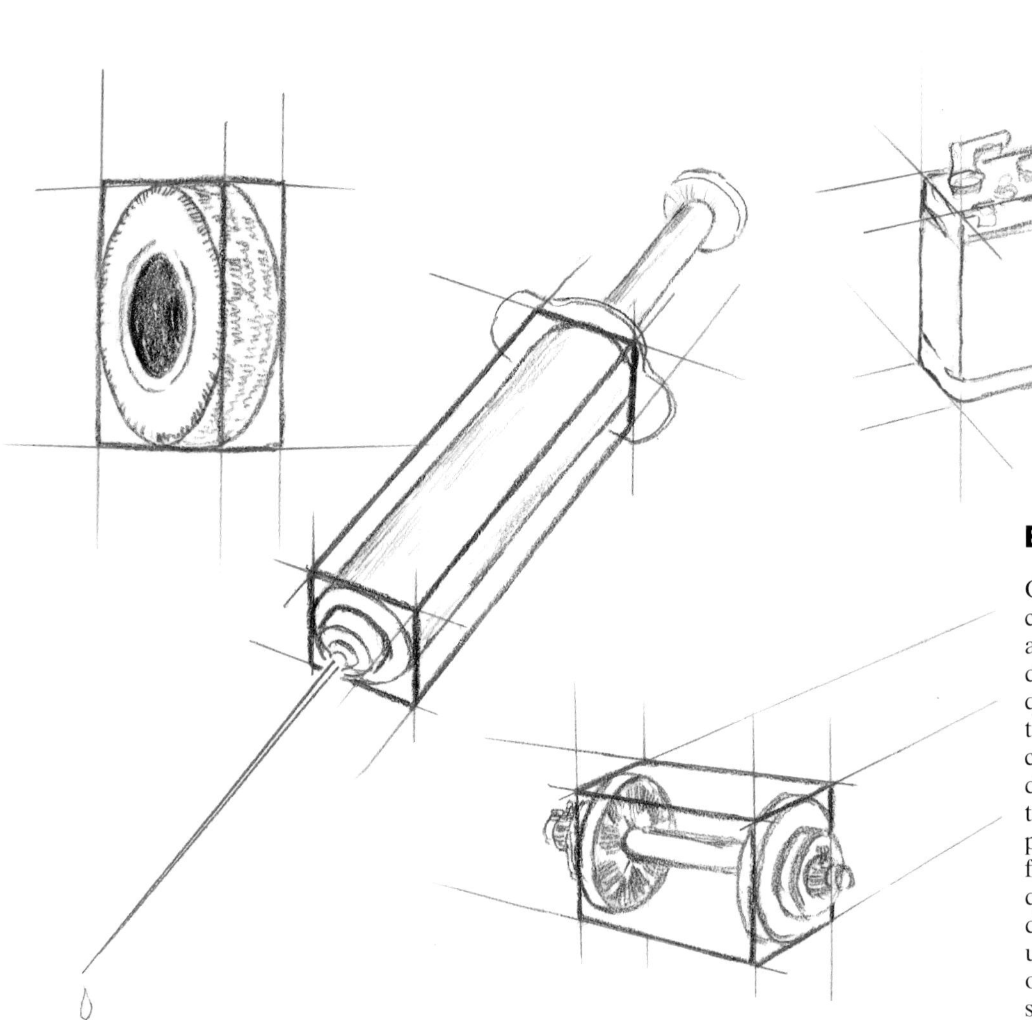

Emballez!

Comme les exemples de l'arbre et du corps humain l'illustrent, tous les objets arrondis ne sont pas tous des cylindres debout. Mais qu'il s'agisse de n'importe quel objet, courbé ou non, il peut être très utile d'esquisser quelques lignes de construction et d'emballer les objets dans des boîtes comme on nous le montre ici. Ceci aide beaucoup car une simple boîte est quelque chose qui nous est familier à tous. C'est une chose concrète que l'on peut saisir dans toute son étendue. Et ce que l'on peut emballer dans une boîte sera par conséquent aussi plus organisé et plus perceptible dans son ensemble.

Exercice 5/**Un arbre: combinaison de cylindres**

Un moyen efficace pour faire avancer la branche d'un arbre ou la faire reculer consiste à montrer la courbe de liaison de la branche avec le tronc ou une autre branche.

Utilisez un crayon tendre pour renforcer les sections correspondantes de chaque cercle ou de chaque ellipse dans ces deux esquisses et pour mettre les branches en mouvement vers

- l'avant (AV)
- l'arrière (AR)
- les côtés (C)

comme dans l'exemple **ci-contre**. Vous verrez que, parti de silhouettes identiques, vous pouvez arriver à des résultats complètement différents.

Une fois que vous en êtes satisfait et que les branches vont dans la direction désirée vous pouvez rendre votre arbre plus vivant en le modelant quelque peu. Choisissez une source lumineuse (le soleil), et ombrez alors soigneusement chaque surface arrondie et détournée de la lumière.

Laissez l'ombre s'estomper peu à peu à mesure que la branche se courbe vers la lumière. Vous pouvez aussi ajouter quelques branches plus petites et sèches que j'ai laissées de côté pour ne pas embrouiller le dessin.

Pour les deux esquisses de la page suivante, utilisez un crayon tendre pour ombrer les portions de cercles et d'ellipses appropriées et pour «aviver» ainsi les branches.

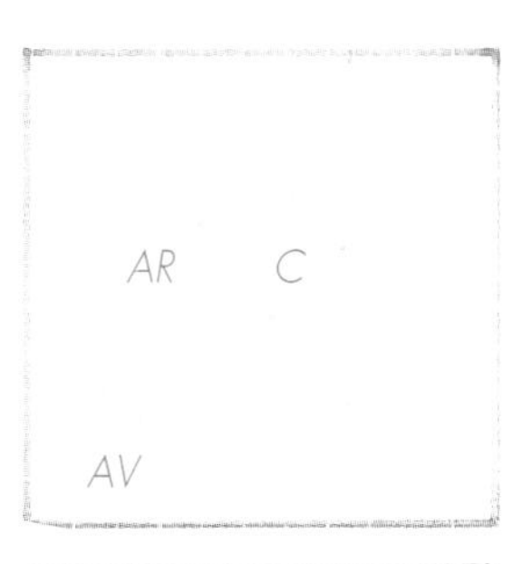

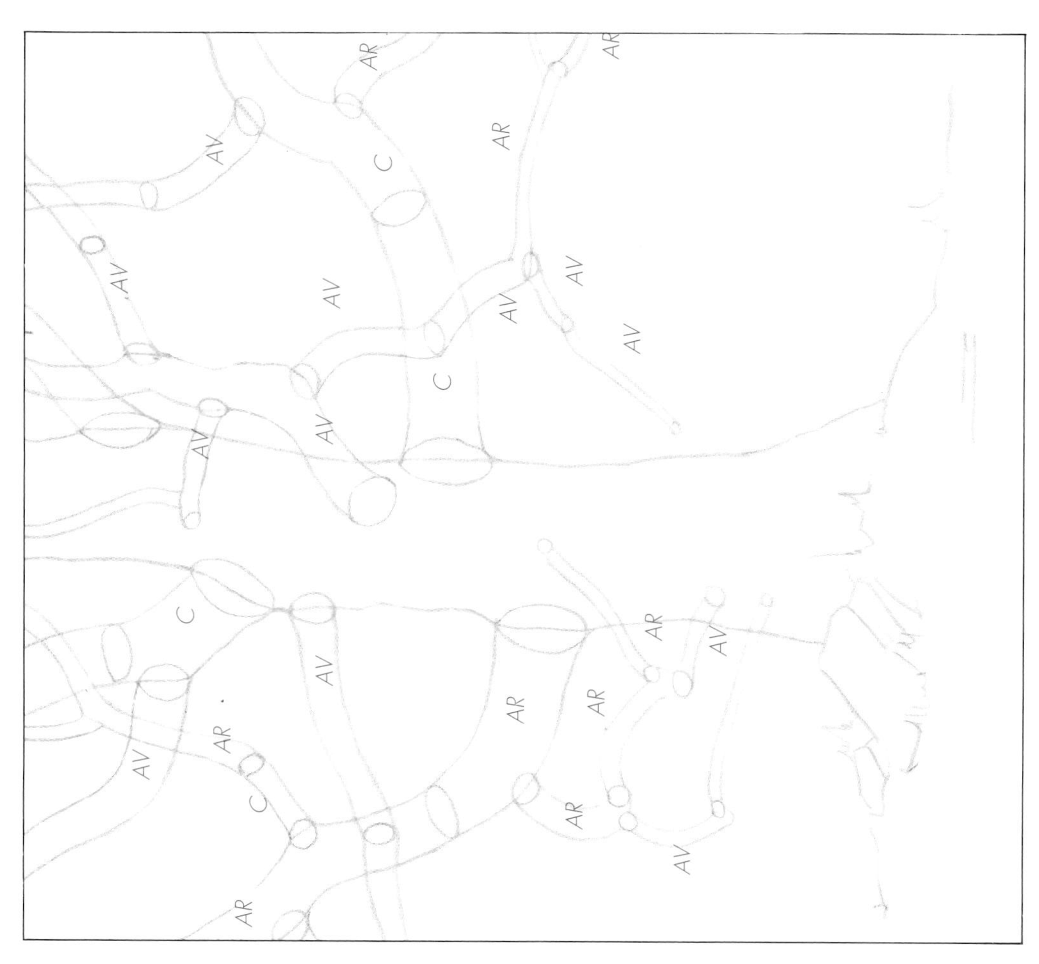

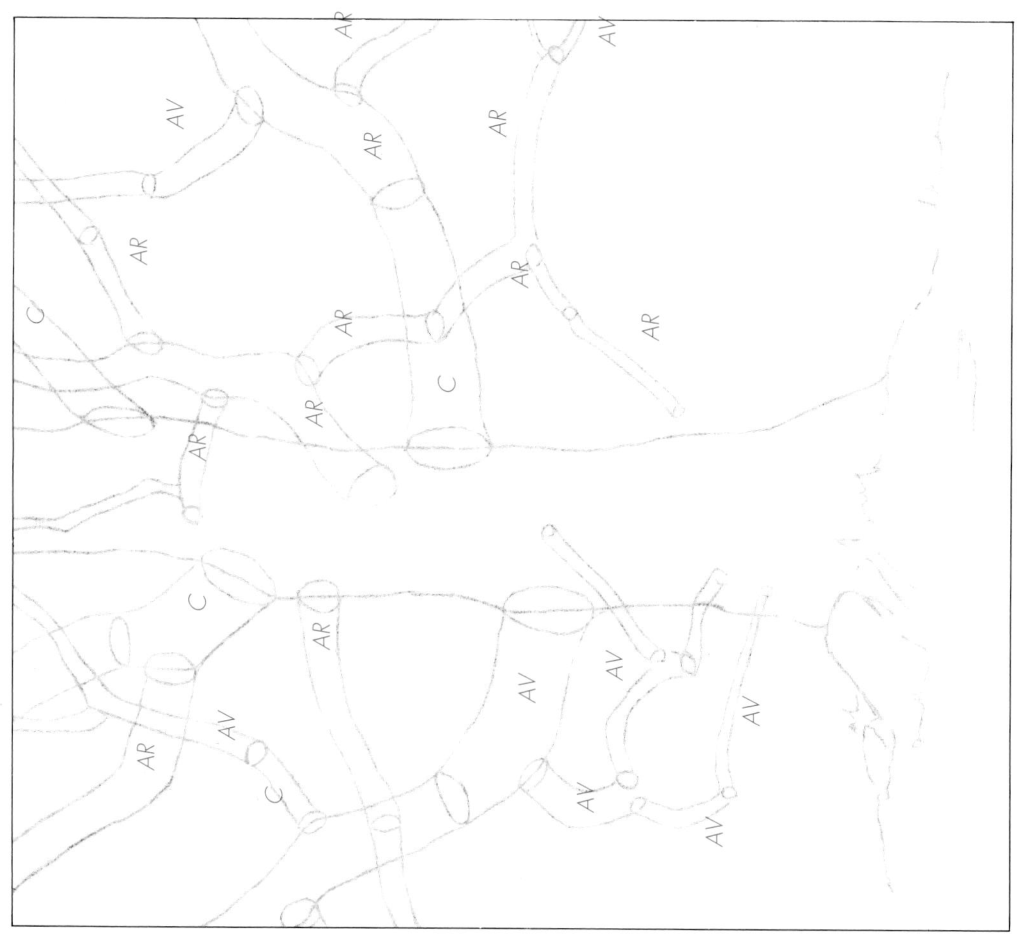

Arcs

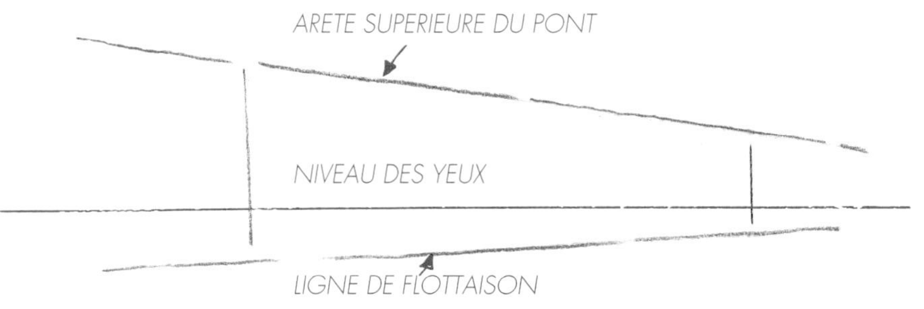

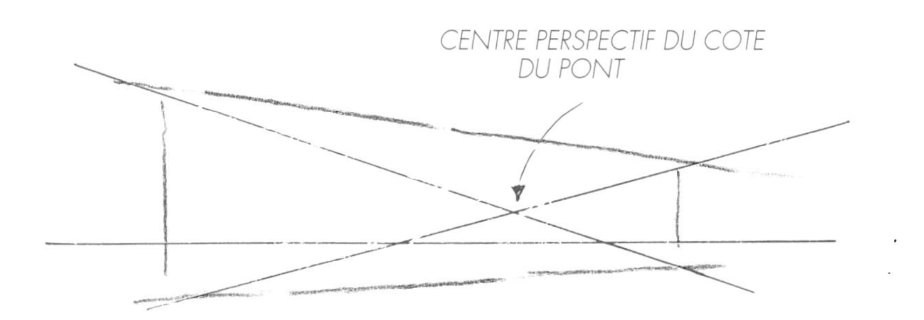

Il y a beaucoup de choses autour de nous qui sont limitées par des courbes et les dessiner est bien plus difficile que de dessiner des silos, des boîtes de conserve, des arbres et des vases. L'une des plus connues est l'arc. On trouve ces arcs dans toutes les formes et dimensions possibles: elliptiques, circulaires, paraboliques ou encore dans d'autres formes libres.

Des arcs qui sont mal construits dans de nombreux ponts et des bâtiments publics offrent des contours qui donnent envie qu'on les dessine et qu'on les peigne. Certains sont compliqués et se rebellent à toute tentative de les coucher sur le papier, mais la plupart peuvent être construits avec quelques-unes des idées fondamentales que nous avons déjà développées. Admettons que nous ayons devant nous un pont aussi facile que celui qui se trouve **ci-dessus, à gauche**.

Supposons que le pont ci-dessus ait une rue égale sans aucune courbure, tout en sachant bien que la plupart des ponts sont légèrement ascendants vers leur centre. Après avoir commencé par tracer une figure de base, vous pouvez ajouter de tels détails avec facilité.

Par quoi allez-vous commencer? A votre place, je déterminerais le niveau des yeux et essaierais ensuite de dessiner le pont d'un trait pur comme je le fais pour la plupart des choses. Mais quand je rencontre des difficultés, j'ai recours à une petite construction. Tout d'abord, je tire grossièrement deux lignes peu accentuées pour ébaucher l'arête supérieure du pont et la ligne de flottaison et j'esquisse les deux extrémités du pont à l'aide de deux autres lignes verticales. Les extrémités des ponts ne doivent pas être obligatoirement des verticales mais vous avez besoin d'un certain point de repère qui vous indique le début et la fin du pont. Poursuivez en trouvant le centre perspectif du pont à l'aide du point d'intersection des diagonales.

Tracez maintenant une ligne perspective h qui indique la hauteur des arcs. Chaque arc montera jusqu'à cette ligne qui en sera la tangente.

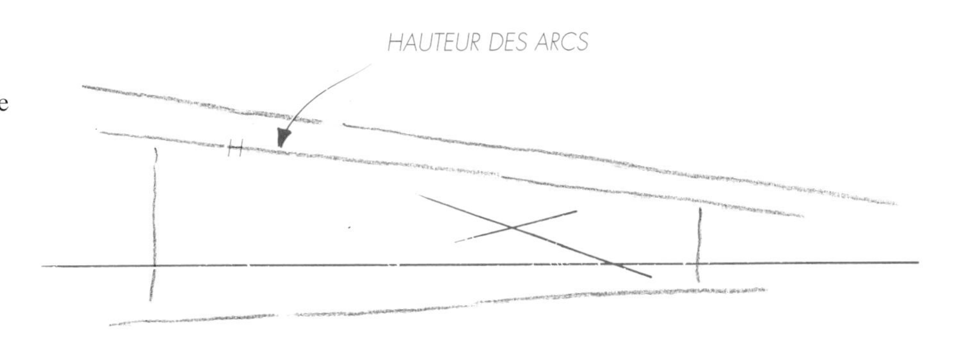

Tracez à main levée des lignes verticales pour la largeur des arcs. C'est la même chose que lorsque l'on veut placer des fenêtres sur la façade latérale d'un bâtiment. Au cas où le nombre des arcs serait impair, tracez une ligne verticale de chaque côté du centre perspectif marquant la largeur de l'imposant pilier du pont entre les arcs.

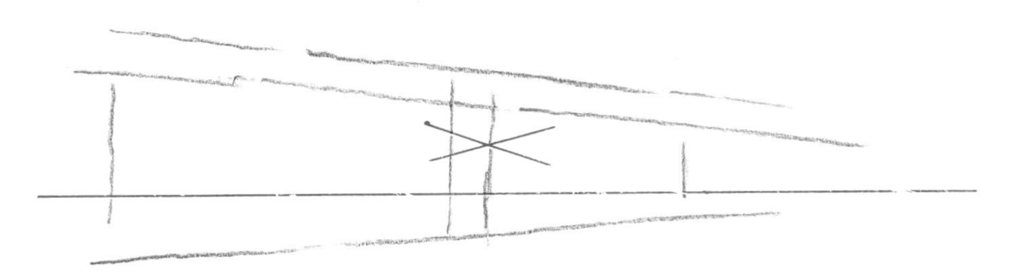

Travaillez maintenant en commençant du milieu pour aller jusqu'aux côtés. Ce faisant, il faut que vous partiez du principe que les arcs et les piliers seront de plus en plus larges vers la gauche et plus étroits vers la droite.

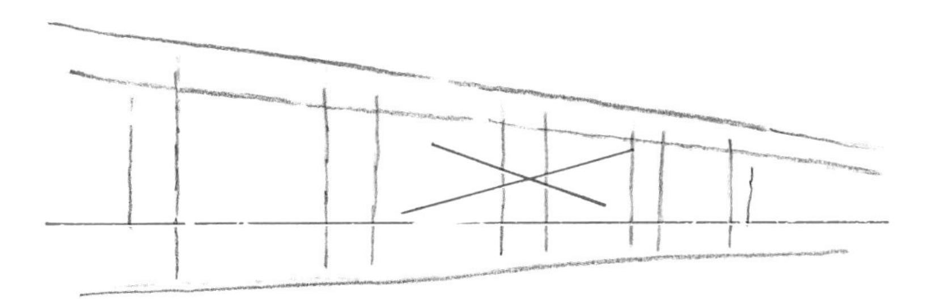

Arcs

Une fois que vous êtes satisfait de la répartition de l'espace, vous pouvez assouplir le poignet et introduire les arcs. Il sera utile de marquer les centres perspectifs des espaces sous les arcs à l'aide d'un tracé de diagonales comme je l'ai fait pour l'arc le plus proche dans **l'illustration 1**. Ils vous indiqueront les points des hauteurs des arcs sur la ligne tracée précédemment. Il serait exagéré de rechercher le centre perspectif de chaque arc dans des esquisses aussi petites que celles que je présente ici. Je le montre essentiellement parce que de telles constructions peuvent très bien avoir un sens dans un tableau plus grand, remplissant plus de surface, et dans lequel toutes les dimensions peuvent être considérablement plus grandes qu'ici.

Maintenant, le pont a besoin de largeur et d'épaisseur. Si de l'endroit à partir duquel vous regardez le pont, vous pouvez voir au travers des arcs, alors tracez les intervalles que vous voyez. En plus de ces intervalles, j'ai ajouté quelques lignes de construction dans l'**illustration 2** pour attirer votre attention sur le fait que vous pouvez concevoir tout ce pont comme un corps tridimensionnel, carré et massif, aux ouvertures courbées. Notez bien que les lignes a et b obliquent à gauche vers un point de fuite. Observez de plus que la ligne de flottaison sous les arcs se dirige vers le même point de fuite tandis que celle qui se trouve sur le côté longitudinal du pont va vers le point de fuite droit.

Si ce pont se compose de quelques blocs réguliers, les joints se soumettent aux lois de la perspective. Celles que l'on peut voir sous les arcs iraient donc vers le point de fuite gauche tel que je l'ai ébauché, et celles qui se trouvent sur le côté longitudinal du pont vers le point de fuite droit (**illustration 3**).

Il ne reste plus qu'à enrichir maintenant le pont de détails et, naturellement, ce serait bien si le pont conduisait d'un endroit à un autre.

Toute proportion gardée, ceci est un pont simple. Il y a une grande quantité de variations possibles. Si vous êtes confronté à des courbes étranges telles qu'on les trouve dans des ponts, des bâtiments et autres figures techniques, alors commencez par quelque chose qui vous est familier (comme le côté essentiellement rectangulaire du pont dans notre exemple) et continuez en partant de là. Mentalement, vous pouvez pratiquement toujours détacher des parties que l'on peut voir dans l'**illustration 4** comme des corps rectangulaires.

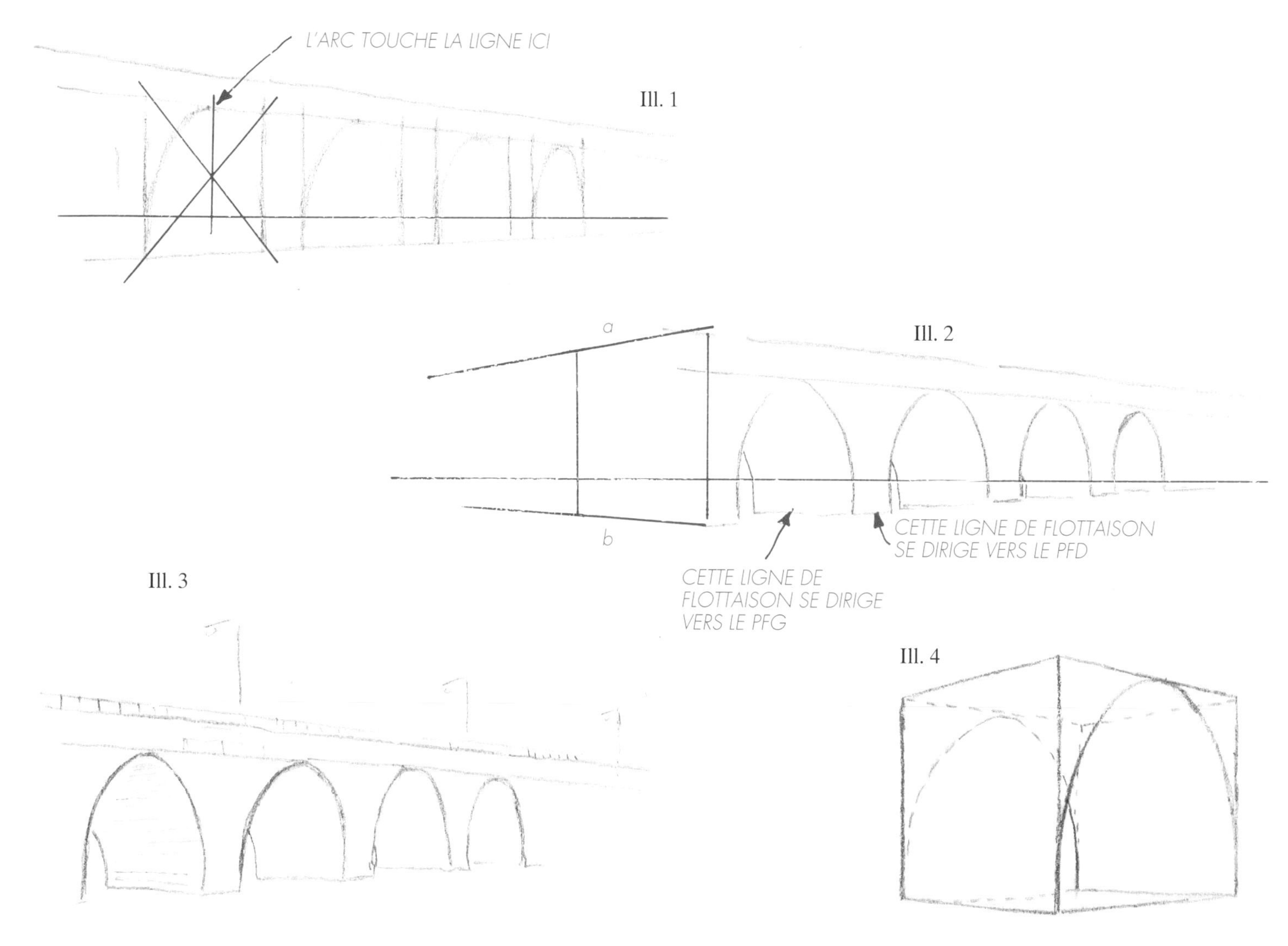

L'exagération: aide visuelle

Quelquefois, il est difficile de juger de la grandeur ou de la configuration d'un objet en le comparant à un autre parce qu'ils sont assez semblables en grandeur et en forme. Maintenant, vous pouvez être d'avis que la différence entre les deux objets est trop insignifiante pour être de poids. Toutefois, si elle joue tout de même un rôle et que vous ne pouvez pas vous décider, alors essayez ce que j'utilise assez souvent. Je m'imagine les objets dans une position extrême ou exagérée et compare ensuite comment ils se comportent les uns envers les autres. Supposons par exemple que je me trouve devant une pile de gros pneus de voiture et que j'essaie de déceler a) si le pneu supérieur paraît plus rond que le pneu inférieur et b) ce que je verrais de l'arête, donc de la surface de roulement du pneu supérieur comparé au pneu inférieur (**ci-dessous, à gauche**).

Je sais que le pneu supérieur apparaîtrait plus rond (plus circulaire) et je sais aussi que je verrais moins de sculptures sur le pneu supérieur que sur le pneu inférieur (si seulement j'avais fait ce test avant d'écrire ce livre!). Si je n'étais pas sûr de moi, j'exagèrerais la pile de pneus mentalement de telle sorte qu'elle serait bien plus haute et qu'elle dépasserait le niveau de mes yeux, oui, jusqu'à ce que le pneu supérieur soit si élevé au-dessus de ma tête que j'attraperais un torticolis en regardant si haut (**ci-dessous, au centre**). A cet instant, il serait évident pour moi que ce que je verrais là au-dessus devrait être presque un cercle, sûrement plus rond qu'un pneu placé en dessous du niveau de mes yeux. Il n'aurait pas seulement une forme nettement plus ronde (donc comme une ellipse plus large), mais je ne verrais que très peu de surface de roulement. S'il était assez haut, tout ce que je verrais ne serait que son dessous circulaire mais pas les structures. En d'autres termes, plus un pneu est haut au-dessus de ma tête (à condition qu'il garde sa position horizontale), et plus j'en vois le dessous et moins je vois le rebord.

Vous pouvez utiliser aussi le même truc à l'occasion quand le niveau des yeux n'est pas directement concerné. A l'origine, lorsque j'ai esquissé le pont et les arcs, j'hésitais sur la quantité d'espace que je pourrais voir sur le côté détourné du pont au travers de chacun des arcs. Est-ce que ces petits passages seraient peu à peu plus larges ou plus étroits en s'approchant de moi ou est-ce qu'ils resteraient pareils (je n'avais pas de véritable pont devant les yeux à ce moment-là)? Donc, je m'imaginai que le pont s'étirerait au loin dans les deux directions. Alors, il devint évident que je verrais, en effet, à travers un arc complètement ouvert, à un endroit précis où le pont «passe devant moi» à gauche et que je pourrais apercevoir le monde entier de l'autre côté du pont au travers de cet arc. Il était clair que je pourrais voir davantage au travers de l'arc le plus proche qu'au travers de l'arc éloigné.

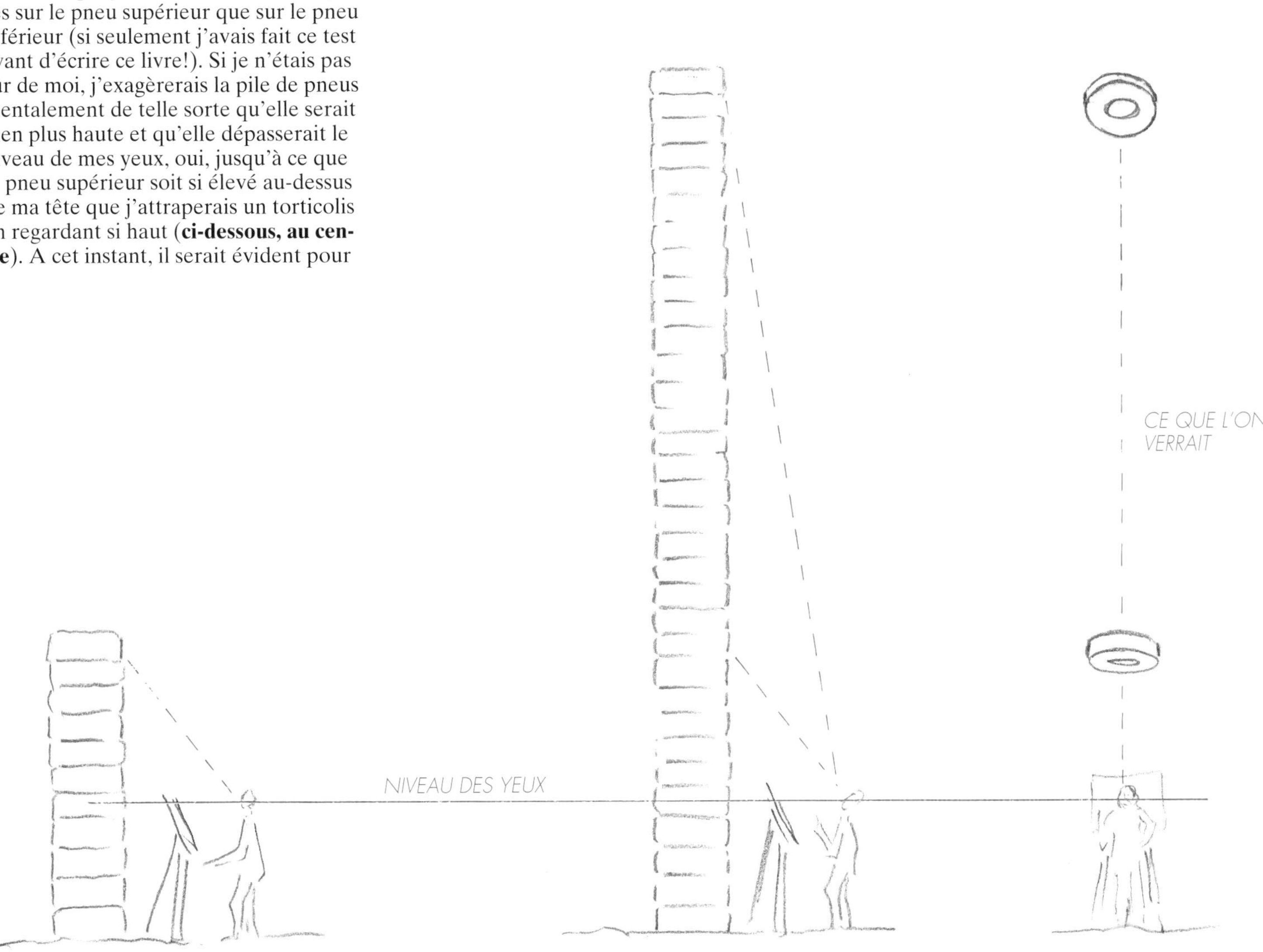

Mesurer des dimensions relatives

Il est important de toujours remesurer les dimensions relatives des objets pendant que l'on fait un dessin. Dans cette perspective du Capitole à Washington que j'ai ressortie d'un de mes vieux livres d'esquisses, j'ai pris une série de notes pour mon utilisation personnelle en ce qui concerne les dimensions.

La coupole devrait être plus accusée, la largeur X devrait être environ une fois et demie plus grande que la hauteur Y. J'ai tout simplement utilisé la méthode du crayon de papier et du pouce qui a été expliquée dans le manuel 1 pour comparer différents intervalles.

Je remarque que je dois me contrôler davantage quand je dessine des objets ronds que quand je dessine des objets rectangulaires. Les courbes sont renversantes.

La petite esquisse supplémentaire **ci-dessus** me rappela, soit dit en passant, que j'apercevais le Capitole au travers du trou de quelque feuillage. Quand je peignis le motif plus tard, je sortis un peu le bâtiment du centre pour éviter une symétrie trop prononcée.

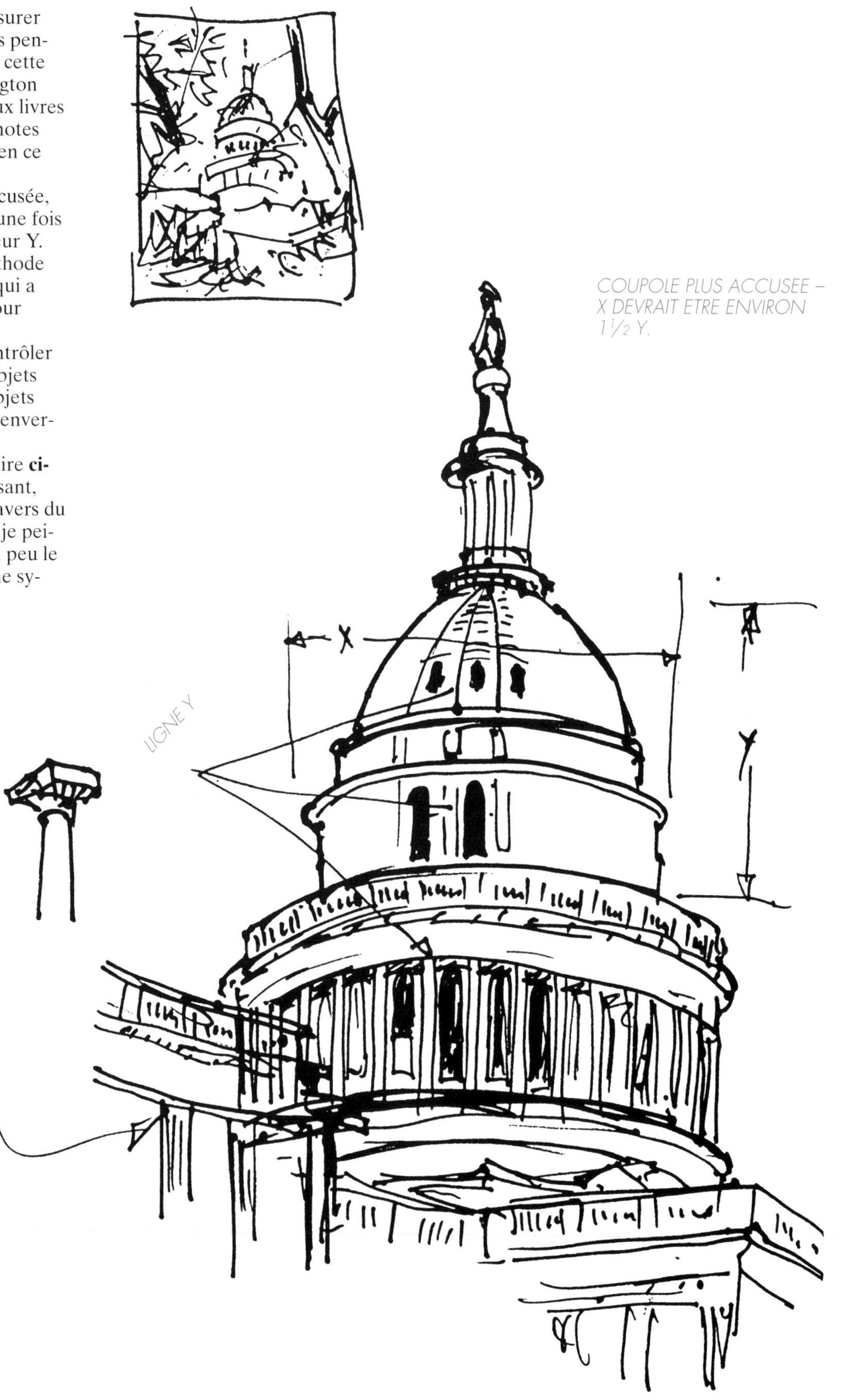

Voici encore un cas dans lequel je pris vraiment conscience de ce que je devais constamment prendre des mesures. Je fis une marque sur le sol pour pouvoir me rappeler où je devais revenir quand le dessin ou la peinture de cette nature morte serait interrompu parce que j'étais si près du motif que tout petit déplacement de mon corps faisait que je voyais une scène vraiment différente. Dans un dessin connu de Dürer, on voit un artiste dessinant un objet proche en clignant d'un œil et tenant un viseur rembourré directement devant son œil ouvert. Le viseur est fixé dans une position et ne peut pas être déplacé par l'artiste. Tant que l'artiste tient bien son œil ouvert derrière le coussin de son viseur, il sait qu'il n'a pas changé la position de sa tête.

Outre le fait que je faisais bien attention à ma position, je m'assurai de ce que la source lumineuse ne soit pas gênée pour que les ombres qui se montraient à un certain jour soient encore là le jour suivant. Et je comparais constamment les hauteurs et les largeurs des objets grâce à la technique du crayon et du pouce. On a beaucoup de surprises quand on mesure des objets qui sont proches dans une nature morte. On croit savoir quelle est la dimension d'une chose par rapport à une autre, mais c'est parce que l'on est si près que les différences deviennent considérables.

Ce tableau m'apprit aussi comment on peut être tourné en ridicule d'une autre façon encore quand on dessine des choses comme une carafe ou une bouteille de vin. Les différences dans les tracés de courbes des deux côtés de l'objet peuvent être étonnantes.

Supposons que vous laissiez descendre votre regard sur deux objets, un verre et une bouteille de vin comme on peut le voir **ci-contre**. Pour ce qui est du verre, la courbe du fond va paraître plus ronde que celle du haut parce que le fond du verre est plus loin et que son ellipse est plus large que sa partie supérieure. Tout va bien tant que les bords inférieur et supérieur du verre sont à peu près aussi grands. En revanche, pour ce qui est de la bouteille de vin, le goulot est bien plus petit que le fond et bien que le fond soit plus loin de vous, la courbe sera moins dure, moins «ronde» que la courbe du goulot. Si vous ne voyez aucun sens à cela, essayez avec une bouteille imaginaire qui a un cercle de trois centimètres en haut, et comme fond, un cercle d'un mètre de diamètre. Que vous regardiez la bouteille d'une façon ou d'une autre, le goulot aura la forme la plus «ronde».

Phil Metzger, **Réflexions.**
Aquarelle, 86,3 x 111,7 cm

L'observation de tels détails peut faire la différence entre une toile convaincante et une toile inconcevablement maladroite. Les exercices 6 et 7 offrent le moyen de tracer plus correctement de telles courbes.

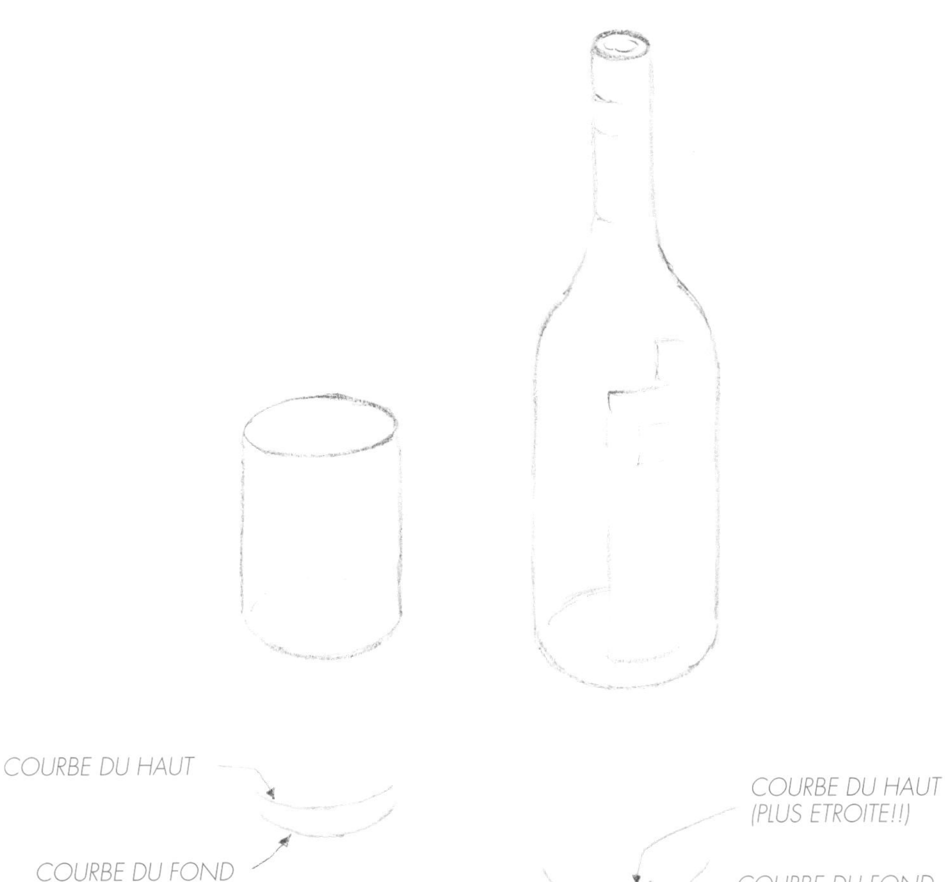

Exercice 6/**Vérifier des courbes**

Cherchez un objet doté de courbes, comme une bouteille de vin et placez-la à quelques mètres de vous sur la table. Imaginez-vous que vous vouliez peindre cette bouteille faisant partie d'une nature morte. Les courbes différentes en haut et en bas peuvent créer des difficultés. Voici deux façons de vérifier si vous avez bien tracé la courbe supérieure et la courbe inférieure dans de bonnes proportions l'une par rapport à l'autre.

Méthode 1: Disposez un morceau de plastique clair et regardez la bouteille au travers de celui-ci. Tracez la courbe supérieure de la bouteille à l'aide d'un crayon gras. Ensuite, descendez le plastique sans changer de place jusqu'à ce que vous voyiez la courbe que vous venez de tracer bien au bout de la courbe du fond de la bouteille. Après cette comparaison, vous saurez comment vous devez tracer les courbes sur le papier.

Méthode 2: Esquissez la bouteille sur le papier. Puis, sur un morceau de papier de brouillon, découpez soigneusement la courbe supérieure ou inférieure de la bouteille de telle sorte qu'elle concorde exactement avec celle de votre dessin. Tenez ce que vous avez découpé à bout de bras entre la bouteille et vous et regardez bien si la courbe découpée couvre celle de la bouteille. Modifiez votre dessin jusqu'à ce que la courbe tracée soit semblable à la courbe réelle. Ensuite, replacez encore une fois ce que vous avez découpé devant vous pour le comparer à la courbe de l'autre extrémité de la bouteille. Recorrigez alors votre dessin et vous obtiendrez les deux courbes dans de bonnes proportions l'une par rapport à l'autre.

Exercice 7/**Parvenir à la symétrie**

C'est un casse-tête pour beaucoup d'entre nous de tracer des objets symétriques pour qu'ils semblent vraiment symétriques. Voici maintenant deux méthodes qui vous aideront à obtenir des contours exacts. Soyez prudent en utilisant de telles techniques. Si vous les suivez en esclave et avec beaucoup trop de minutie, votre dessin sera peut-être correct mais ennuyeux.

Methode 1: Si vous voulez vraiment obtenir une symétrie exacte alors essayez la méthode suivante: dessinez la bouteille du mieux que vous pouvez – seulement ses contours. Décalquez alors ce contour sur un morceau de papier-calque. Mesurez la distance existant entre les deux arêtes latérales de la bouteille et tirez une ligne qui partage la bouteille de haut en bas. Pliez le papier-calque le long de cette ligne de sorte que les moitiés de bouteille soient superposées. Je parie qu'elles ne concordent pas.

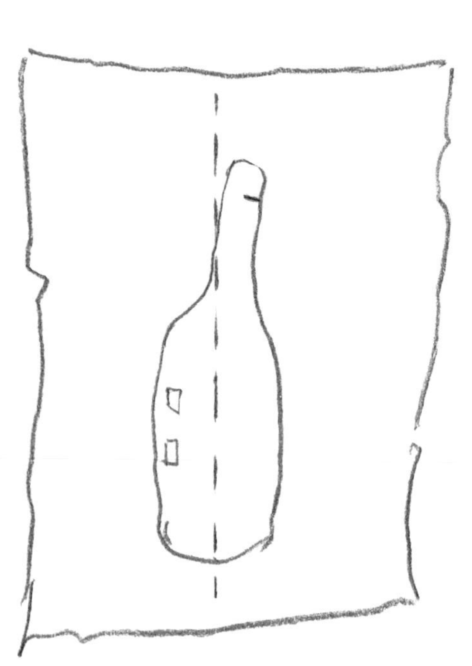

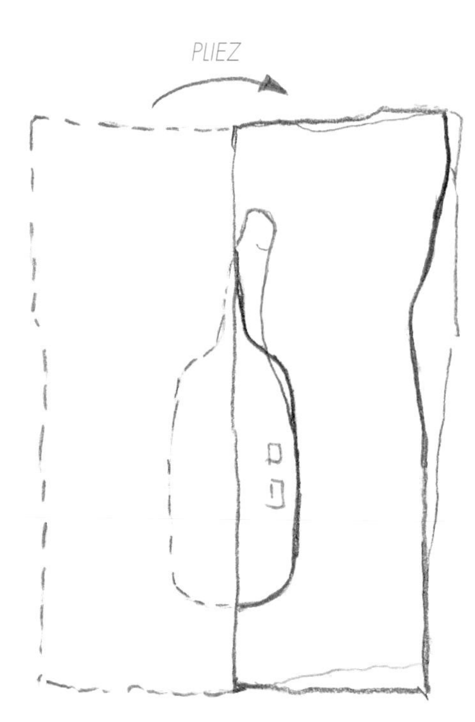

Méthode 2: Allez rechercher la vieille bouteille de vin (vous avez certainement dû la vider entre-temps). Tracez-en la silhouette.

Le goulot courbé et le fond de tels objets nous font déjà assez d'ennuis, mais les épaules arrondies ne nous en causent pas moins, là où le col de la bouteille passe au corps de la bouteille. Votre tout premier essai pour dessiner la bouteille ne sera vraisemblablement pas symétrique à moins que vous ayez de la chance, ou que vous soyez doué.

Tournez le dos à votre dessin, tenez un miroir devant vous et regardez par-dessus votre épaule. Vous verrez votre dessin à l'envers et reconnaîtrez tout de suite des déformations que vous n'aviez jamais remarquées quand vous le regardiez directement. Nous avons une tendance psychologique à dessiner les choses avec une certaine obliquité constante et quand nous voyons ce que nous avons dessiné à l'envers, cette position oblique est évidente. Vous resterez sans voix devant cette erreur que le miroir dévoile si vous n'avez jamais essayé cela avant.

Cela fonctionne toujours, que l'objet que vous êtes en train de dessiner soit symétrique ou non. Employez le miroir indépendamment de ce que vous dessinez. C'est particulièrement avantageux en ce qui concerne le dessin de portrait. Beaucoup de gens ont tendance à dessiner les traits du visage avec irrégularité – par exemple un œil plus haut que l'autre. Ce genre de gaffe sera immédiatement démasqué par le miroir.

Encore plus de points de fuite

Dans le premier manuel, nous avons parlé de dessins qui n'avaient qu'un ou deux points de fuite. Les amis, la vérité est qu'en réalité, il existe bien plus de points de fuite que vous ne le voudriez. Heureusement que, normalement, nous n'avons affaire qu'à un, deux ou quelquefois trois points de fuite. Mais il est important de savoir qu'il peut y en avoir plus. Sinon, on serait tenté de forcer chaque ligne d'une toile dans un ou deux points de fuite. Ceci donnerait un résultat désolant.

Nous voulons commencer par trois. Je vous ai déjà montré une grande quantité de ces petits bâtiments charmants comme celui qui se trouve **ci-dessous, au centre** et qui présente deux points de fuite dont l'un est quelque part à gauche et l'autre quelque part à droite. Jusqu'ici nous avons toujours conçu les lignes a et b comme des lignes parallèles. Mais, en réalité, elles ne le sont pas. Réfléchissez: ces lignes s'éloignent de vous n'est-ce pas? Ne montent-elles pas loin en se dirigeant sur la gauche? Tenez bien obliquement un rebord de feuille en suivant les pans de comble. Voyez-vous que les rebords du toit s'éloignent de vous comme les lignes a et b?

Les lignes sont parallèles et les lois de cette jungle qu'on appelle perspective nous disent que des parallèles s'éloignant de l'observateur paraissent se rencontrer en un point de fuite ou paraissent «fuir» jusque là-bas. Il n'y a que des lignes horizontales qui se perdent au niveau des yeux. Toutes les autres lignes bizarres disparaissent quelque part ailleurs. Nous voulons trouver où.

Si vous posez une règle sur les lignes a et b et que vous les prolongez pour voir où elles se rencontrent, vous obtenez un dessin comme celui qui est **tout en bas.** Leur point d'intersection (nous le nommons PF3) se trouve au-dessus de l'un des points de fuite à hauteur des yeux déjà assez connus (dans ce cas PFG).

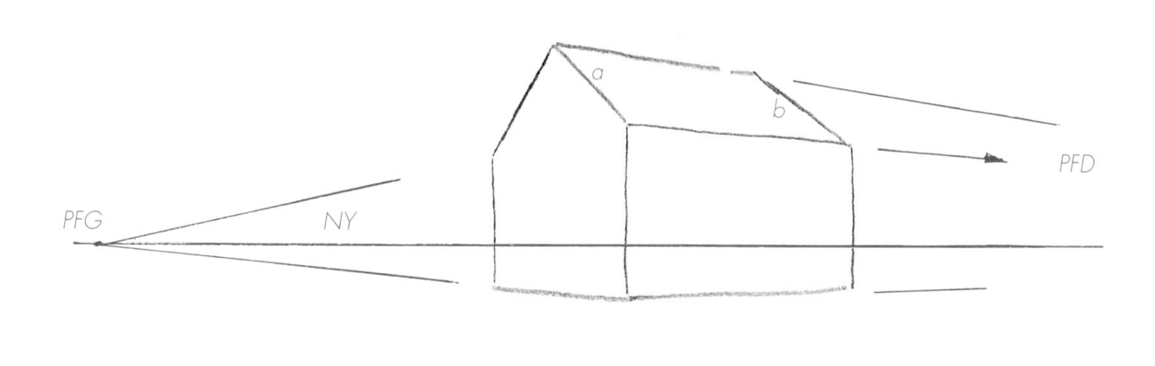

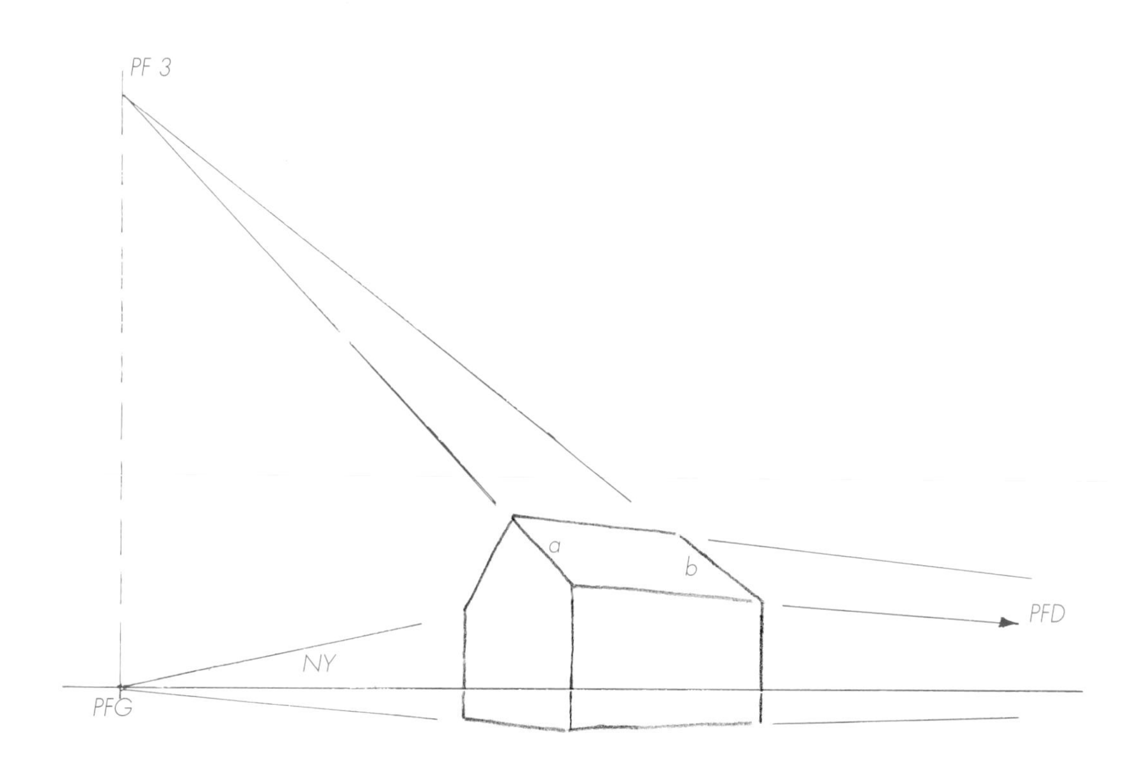

Nous traçons souvent des bords de toit (comme par exemple a et b) de telle sorte qu'ils se séparent plutôt qu'ils ne se rencontrent et ce n'est naturellement pas exact (**en haut, ci-contre**).

La raison pour laquelle ces lignes sont si souvent tracées comme si elles se séparaient est qu'elles paraissent vraiment le faire souvent grâce à une illusion d'optique. Si vous tenez votre crayon levé et que vous comparez l'inclinaison de ces deux lignes dans un bâtiment réel, vous constaterez qu'elles se rejoignent en effet comme la théorie l'exige d'elles. Mais si, par contre, vous ne regardez la maison qu'à l'œil nu, elles paraissent se séparer quelquefois réellement. L'illusion est provoquée par les autres lignes et contours à proximité. Il est important que vous sentiez que ce dessin est mieux fait quand vous rappelez ces lignes à l'ordre et que vous les faites se rejoindre. On n'a besoin pour cela ni de mesurer ni de déterminer les points de fuite; n'utilisez que votre règle et amenez les lignes légèrement les unes contre les autres.

Vous vous êtes certainement déjà demandé où un quatrième point de fuite pouvait bien se trouver. Il est vrai que les bords de l'autre pan de comble (c et d) s'éloignent et ils fuient vers un point qui se trouve juste sous l'un des points de fuite au niveau des yeux comme on le montre **ci-contre, en bas.** Tous ces points de fuite ne seraient pas alignés dans un ordre aussi méticuleux si notre bâtiment n'était pas une petite maison jovet aussi parfaitement symétrique et banale.

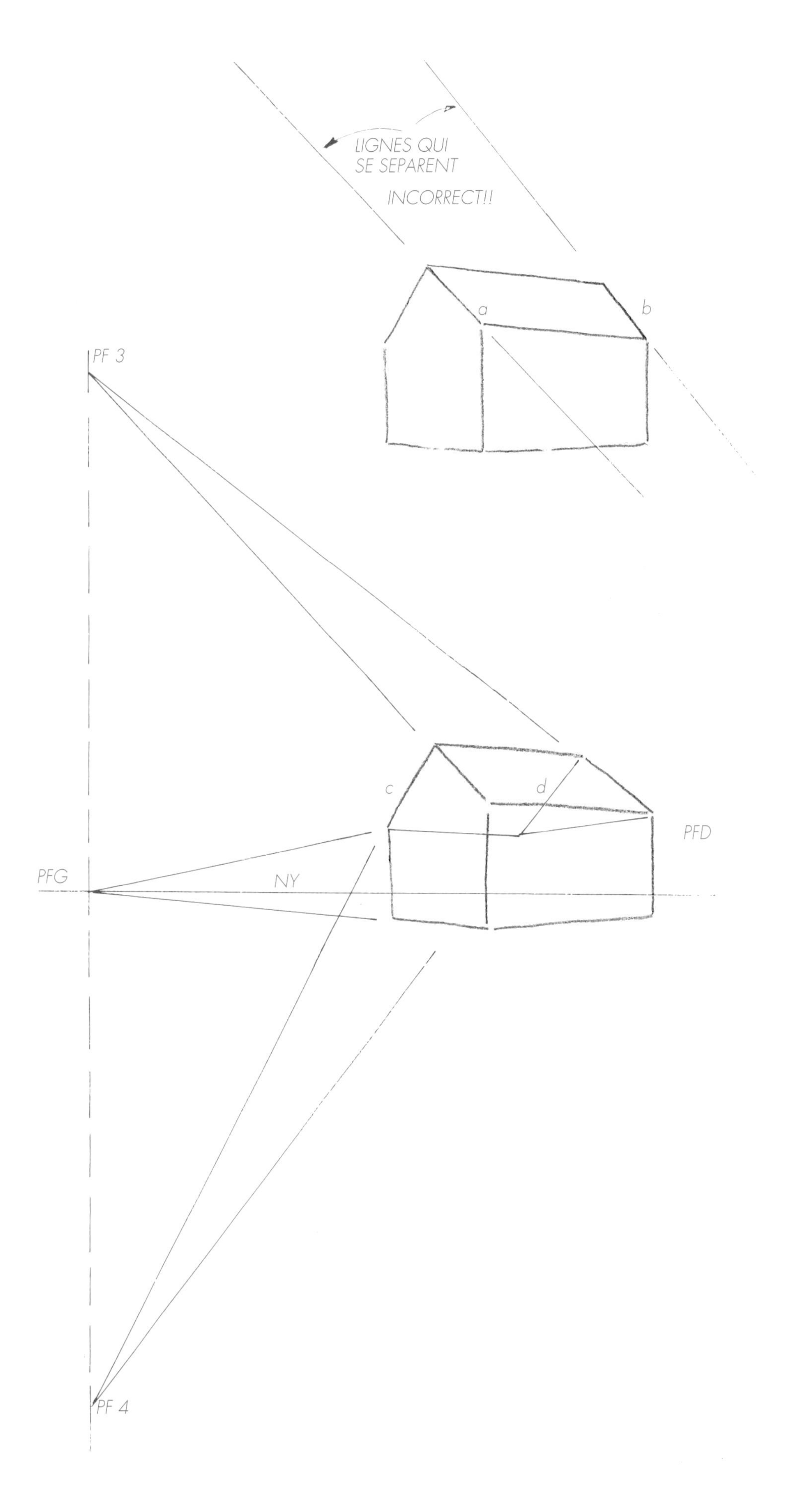

Quelques lignes verticales convergent

On utilise un troisième point de fuite pour des choses bien plus importantes que pour ces lignes de toit. Jusque-là, nous ne nous sommes pas occupés des lignes verticales de nos bâtiments. Nous les avons laissées verticales. C'est faisable quand on a affaire à des objets relativement bas et plats parce que là, tous les points qui se trouvent sur les verticales ont à peu près le même intervalle jusqu'à nos yeux. Autrement dit: de telles lignes ne s'éloignent pas sensiblement de l'observateur.

Imaginez-vous que vous dessiniez un gratte-ciel et que vous vous trouviez sur le trottoir, au pied du bâtiment. Supposons qu'il s'agisse d'un bloc rectangulaire et pas d'une construction qui se termine en pointe. Quand vous regardez vers le haut, il ne ressemble pas à un corps orthogonal mais plutôt au dessin **tout en bas, à gauche.**

De loin, à partir d'un autre gratte-ciel, la scène peut ressembler à celle dessinée **tout en bas, au centre.** Si vous étiez dans un avion, le gratte-ciel aurait plutôt l'apparence du dessin **tout en bas, à droite.** Le point de fuite des lignes verticales de ce bâtiment se trouve quelque part en Chine. Remarquez bien que nos vieux amis les points de fuite droit et gauche nous accompagnent toujours même s'ils sont loin de nous et même en dehors de la toile. Vous, dans l'avion, vous avez un niveau des yeux très haut ou un horizon considérable. Toute la ville se trouve en dessous du niveau de vos yeux.

Prendre un troisième point de fuite peut être d'une certaine importance si vous dessinez un objet élevé ou un ensemble d'objets hauts comme par exemple la silhouette d'une ville. Vous pourriez peindre un tel motif comme l'un des deux qui sont montrés ici.

Dans les deux cas, j'ai laissé le troisième point de fuite assez proche de l'objet et ai obtenu ainsi un effet déformant et groupé. Si ce n'est pas exactement ce que vous avez envie de faire, vous devez pousser le point de fuite plus haut (ou plus bas au cas où vous jetteriez un regard de l'avion). C'est bien comme dans la perspective à deux points où vous déformez d'autant plus que vous rapprochez le point de fuite. Si vous voulez laisser toutes les verticales verticales dans votre dessin, comme cela peut exister pour des objets que nous voyons de très loin, alors faites-le – dans ce cas il n'y aura pas de troisième point de fuite.

Nous voulons imaginer maintenant que vous dessinez une vue de la ville à partir du niveau de la rue. Il y a là beaucoup de choses que vous devez observer. Tout d'abord, la plupart des gratte-ciel ne sont pas du tout rectangulaires. Quelques-uns d'entre eux se terminent en pointe si bien que la largeur des bâtiments aux étages supérieurs est moindre qu'en bas dans la rue. Par conséquent, le rétrécissement apparent que vous voyez en regardant en haut, à partir de la rue, est tout à fait réel. Autrement dit: ces arêtes «verticales» ne le sont pas du tout en réalité. Ce rétrécissement pourrait vous troubler si vous n'en étiez pas conscient, car le troisième point de fuite d'un bâtiment qui se rétrécit sera plus bas que celui d'un bâtiment qui ne se rétrécit pas, même s'il se trouve directement à côté. Si tous les bâtiments de votre motif se trouvent représentés fidèlement verticaux (sans arêtes concourantes), alors ils se partagent tous le même point de fuite.

Deuxièmement, tout gratte-ciel a son propre point de fuite gauche et droit tout comme tout autre bâtiment. Ils se trouvent tous les deux au niveau des yeux.

J'ai déjà dit qu'il y a des milliards et des milliards de points de fuite. Le nombre en est en effet infini. Même si vous n'êtes certainement jamais confronté à plus de trois points de fuite, cela explique les choses que de savoir qu'il peut y avoir un propre point de fuite dans un motif pour chaque paire de lignes parallèles.

Ce qu'il faut savoir à propos des points de fuite et en particulier de ceux qui ne se trouvent pas au niveau des yeux: 1. ils existent, 2. il faut connaître aussi leur emplacement approximatif. Rien que cette connaissance minime vous exhortera à tirer des lignes qui vont en direction de ces points de fuite avec une convergence suffisante.

Le fait de savoir que les arêtes du toit obliques de notre maison miniature convergent en vérité en un point de fuite va se nicher dans votre mémoire et vous gardera de commettre cette erreur si largement répandue qui consiste à tracer des lignes se disjoignant au lieu de converger. Vous n'aurez jamais besoin de trouver réellement l'emplacement exact de ce point de fuite. En général, il suffit de savoir qu'il se trouve «à peu près ici ou là».

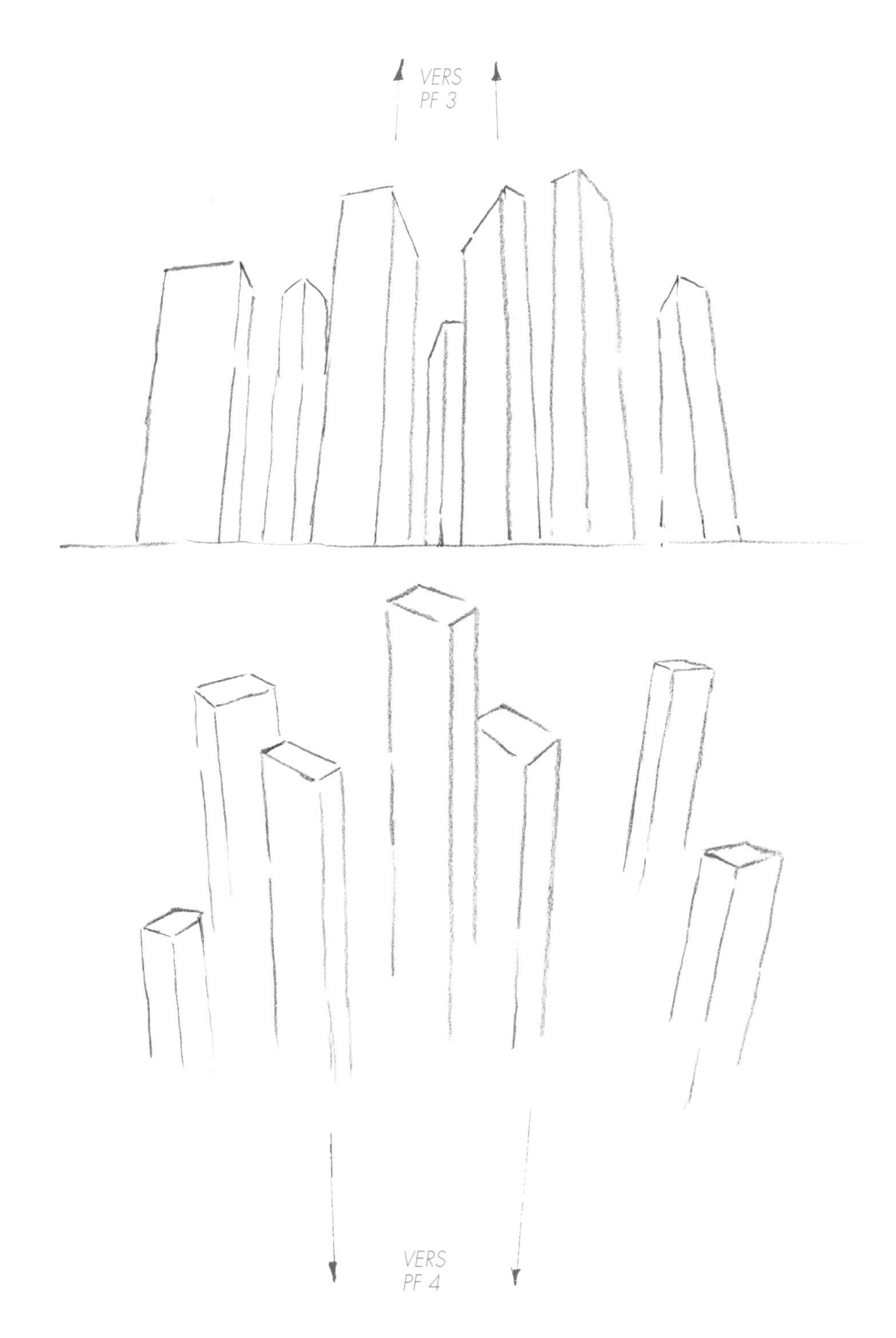

Exercice 8/ **Encore plus de points de fuite**

Déterminez s'il vous plaît au moins dix points de fuite dans cette scène. Un dessin avec la solution exacte de cet exercice se trouve à **la page suivante.**

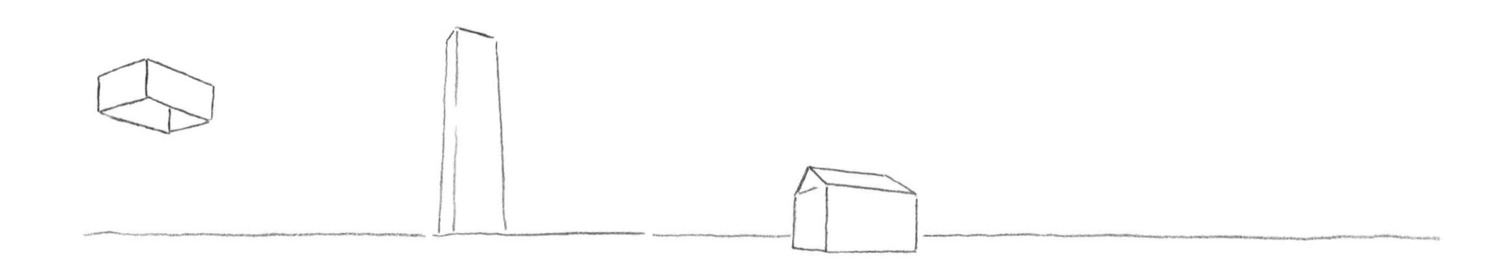

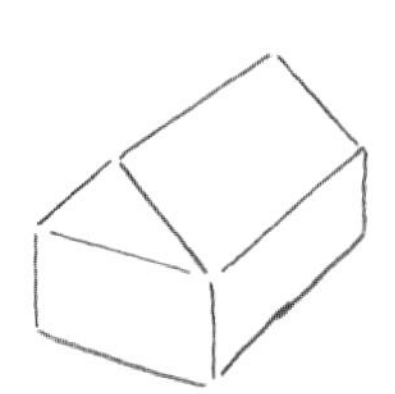

Exercice 8/**Encore plus de points de fuite**

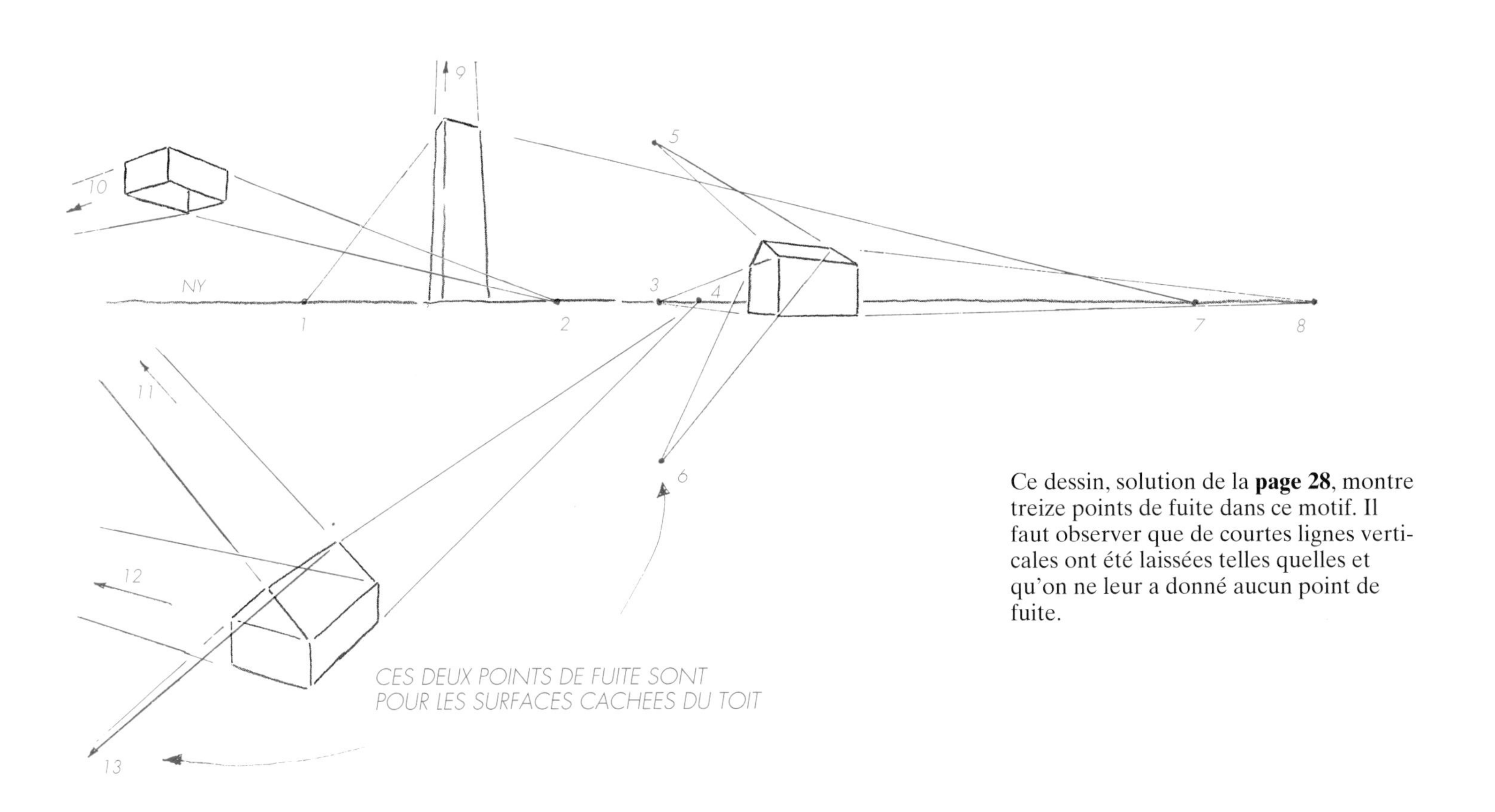

Ce dessin, solution de la **page 28**, montre treize points de fuite dans ce motif. Il faut observer que de courtes lignes verticales ont été laissées telles quelles et qu'on ne leur a donné aucun point de fuite.

Exercice 9/**Arêtes de toit**

Corrigez à main levée les lignes obliques a, b, c et d dans ces bâtiments. Une fois que vous avez terminé, prenez une règle pour vous assurer que les nouvelles lignes, que vous avez tirées, convergent légèrement vers leurs partenaires a', b', c' et d'.

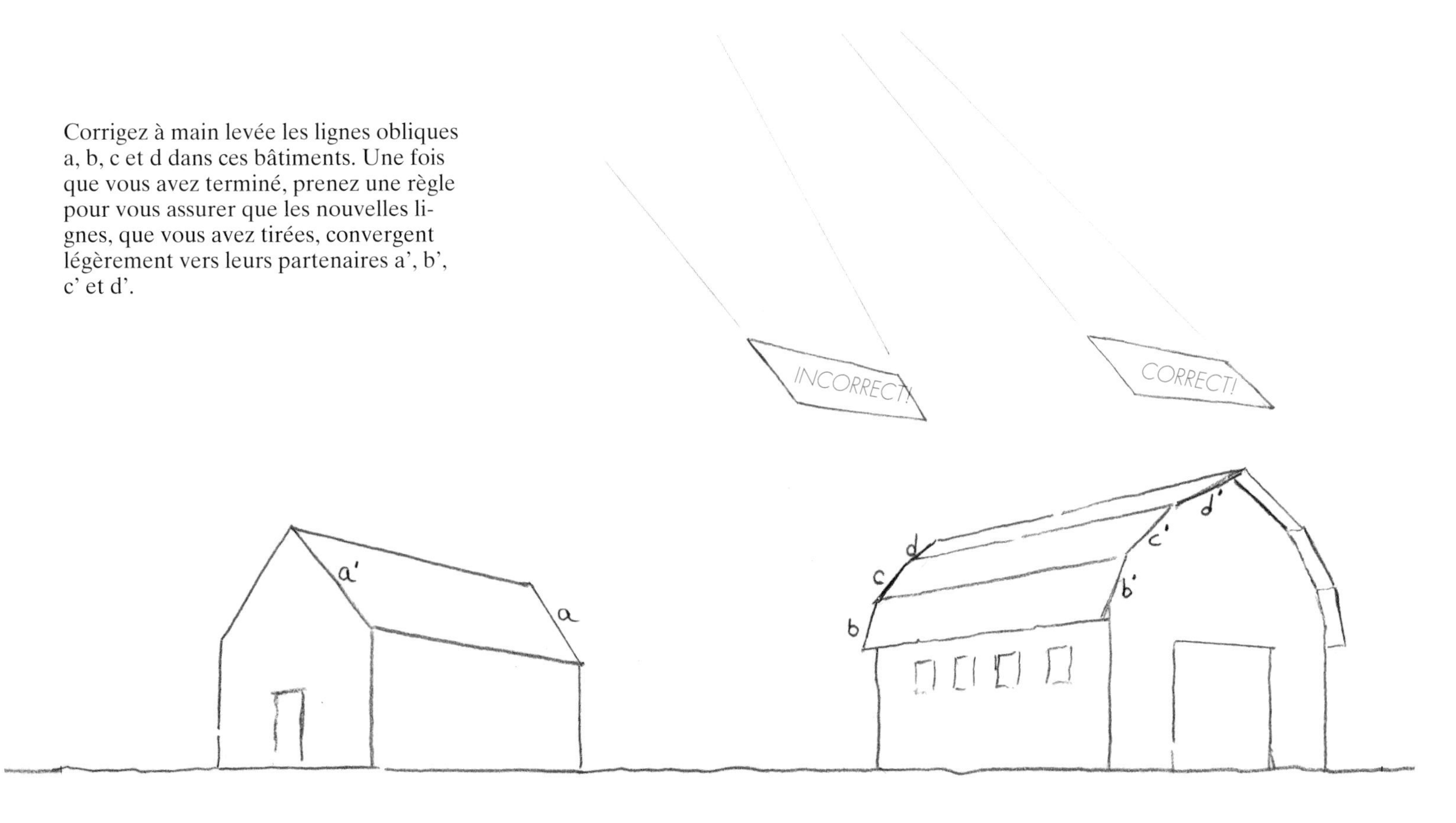

Exercice 10/**Regardez en haut**

Voici un château d'eau représenté schématiquement, vu par un observateur debout sur le sol et à quelque distance. S'il vous plaît, esquissez le château, seul sur la surface réservée à l'exercice, à la page suivante, au même niveau des yeux, mais vous trouvant plus près du château. Vous devriez donc rejeter la tête en arrière pour en voir le sommet.

Remarques:

1. Vous pouvez commencer par la plate-forme sur laquelle se trouve le réservoir puisqu'elle est la seule partie de ce motif à avoir une forme rectangulaire. Sur la feuille d'exercice, on a inscrit une possibilité d'apparence de la plate-forme. Prenez celle-ci comme point de départ. Elle est dessinée en perspective à un point. Vous pouvez trouver le point de fuite en en prolongeant le côté droit et le côté gauche vers le bas. Une ligne horizontale qui passe par ce point de fuite représente naturellement le niveau des yeux. Maintenant construisez tout en rapport avec ce niveau des yeux.
2. Vous pouvez placer soigneusement le réservoir sur la plate-forme en traçant le centre perspectif de la surface cachée de la plate-forme. Le réservoir est cylindrique, ses côtés sont verticaux. S'il était au-dessus de votre tête, il aurait la même apparence que si vous pouviez le voir sans plate-forme.
3. Utilisez le plus possible la technique du «dessin en transparence». Montrez la pointe conique au travers du réservoir, celui-ci à travers la plate-forme etc.
4. Qu'en est-il du cône au sommet? Que vous puissiez le voir, dépend a) de la distance à laquelle vous vous trouvez et b) de la hauteur réelle du cône et du réservoir. Quelques possibilités vous seront montrées ici.
5. Partez du principe que les pieds et les contre-boutants sont des tuyaux ronds sans aucun rétrécissement. S'ils sont montrés en perspective, ils se rétrécissent naturellement un peu.

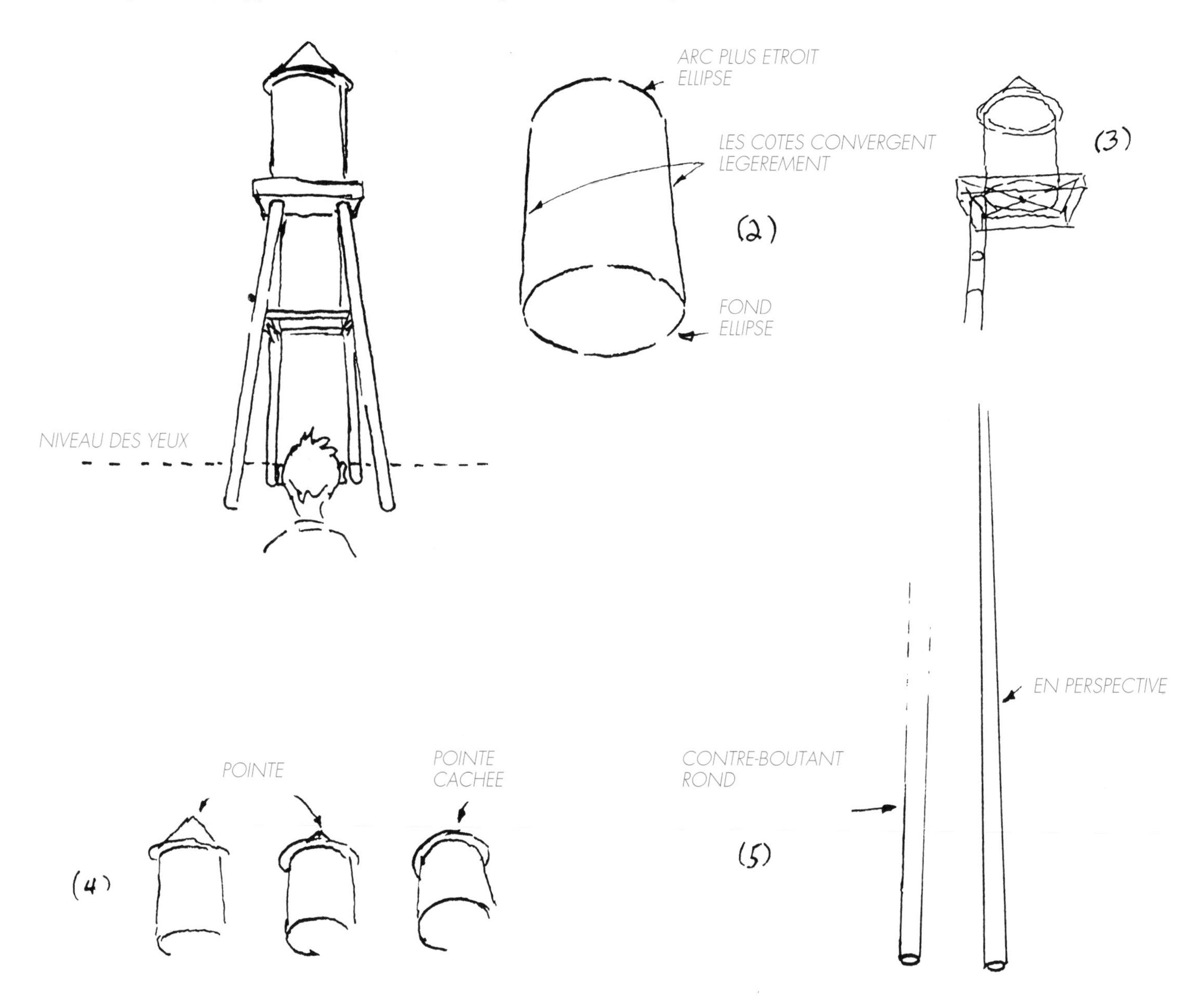

Surface réservée à l'exercice

Plans inclinés

Je suis tenté de supposer qu'il y a des surfaces obliques partout où vous posez les yeux. A côté de moi: une imprimante dotée d'une grande quantité d'obliques (**ci-dessus**). Il y a des plans inclinés pour piétons dans la rue, au centre commercial (**ci-dessous, au centre**). Et puis il y a encore les toits obliques des maisons et des granges, beaucoup de rues inclinées, de champs qui ne sont pas plans et les escaliers les plus variés. Quand on met des surfaces obliques dans un dessin, c'est comme l'étincelle qui réveille une toile sinon sans vie. Les plans inclinés troublent parfois l'artiste, mais ils ne sont pas si difficiles si vous commencez (et vous le savez déjà depuis longtemps) par la simple perspective linéaire démodée.

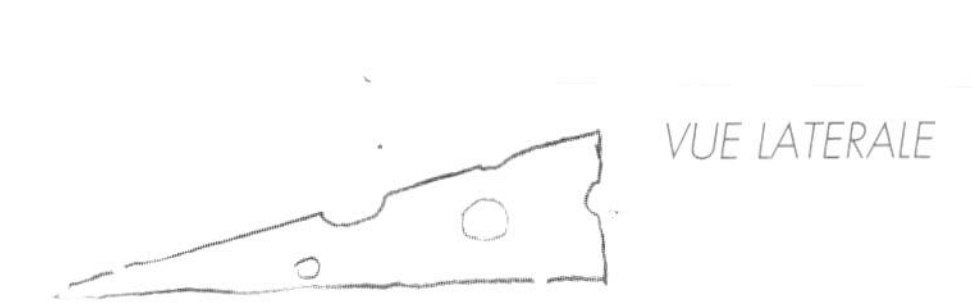

Le type le plus simple de plan incliné est un objet conique qui a l'apparence de celui que nous avons ici quand on le regarde de côté.

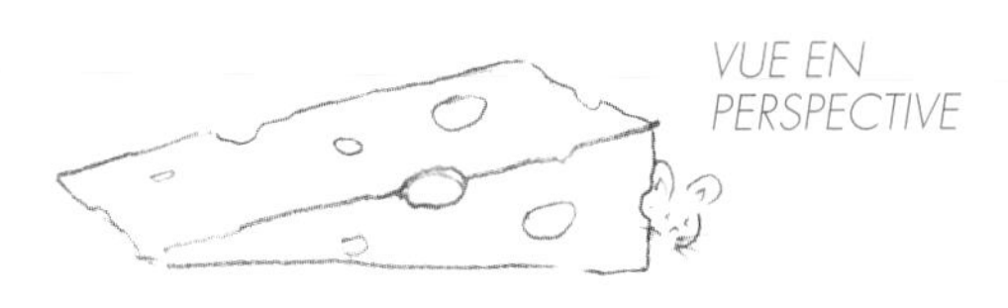

Ce même plan incliné a cette apparence en perspective.

La cale peut aussi être conçue comme la moitié d'une boîte rectangulaire.

La plupart des plans inclinés sont tout aussi faciles à dessiner que le toit oblique d'une maison.

Si vous laissez de côté un moment la pente des lignes et que vous commencez par tracer (en perspective) la composition orthogonale dans laquelle le plan incliné s'intègre bien, vous pouvez facilement couper le rectangle en deux, effacer la partie de la boîte rectangulaire qui ne vous intéresse pas et il vous reste alors un objet conique. N'oubliez pas que les arêtes obliques d'un plan incliné ont toujours un point de fuite, excepté le plan incliné en question qui est d'une largeur régulière.

Voici une combinaison de plans inclinés pour une rampe de chargement. J'ai dessiné la construction ainsi que les plates-formes en perspective linéaire à un point (cf. le 1er chapitre du manuel 1). Le point de fuite dans lequel toutes les lignes horizontales disparaissent est PF. La rampe la plus éloignée n'est toutefois ni horizontale ni parallèle au sol et ainsi, son point de fuite n'est pas sur la ligne de vision, mais, dans ce cas, au-dessus de celle-ci, en PFD. Les planches de la rampe, qui se trouve à l'avant, vont en direction du PF parce qu'elles sont des horizontales tout à fait habituelles, chacune d'entre elles étant parallèle au sol. Les arêtes latérales de cette rampe ne disposent d'aucun point de fuite puisque tous les points de ces deux lignes sont pratiquement aussi loin de l'observateur.

Exercice 11/**Nous construisons une rampe**

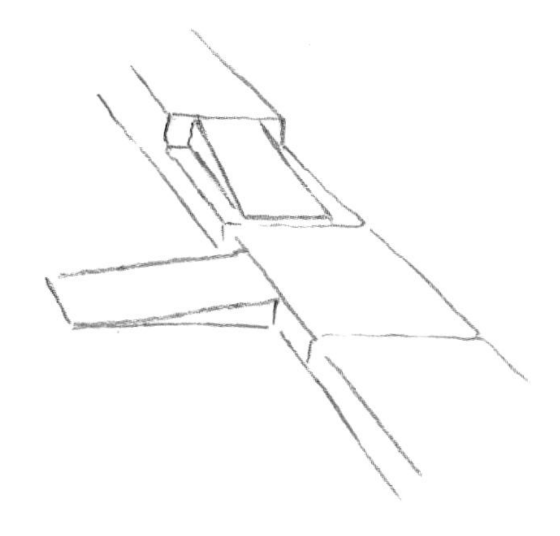

Construisez une rampe qui mène du niveau A au niveau B et une deuxième rampe du niveau B qui monte vers le niveau C. Placez leurs largeurs à peu près comme c'est indiqué en w et w' et leur longueur comme vous voulez.

Remarque: ce motif est dessiné dans une perspective à un point avec un point de fuite en haut, à gauche. Localisez-le s'il vous plaît. Après cela, construisez deux boîtes rectangulaires dont l'une va avec w et l'autre avec w'. Si vous découpez une cale à partir de chacune de ces deux boîtes, il reste quelque chose d'à peu près semblable à ce qui est représenté **ci-dessus, à droite.**

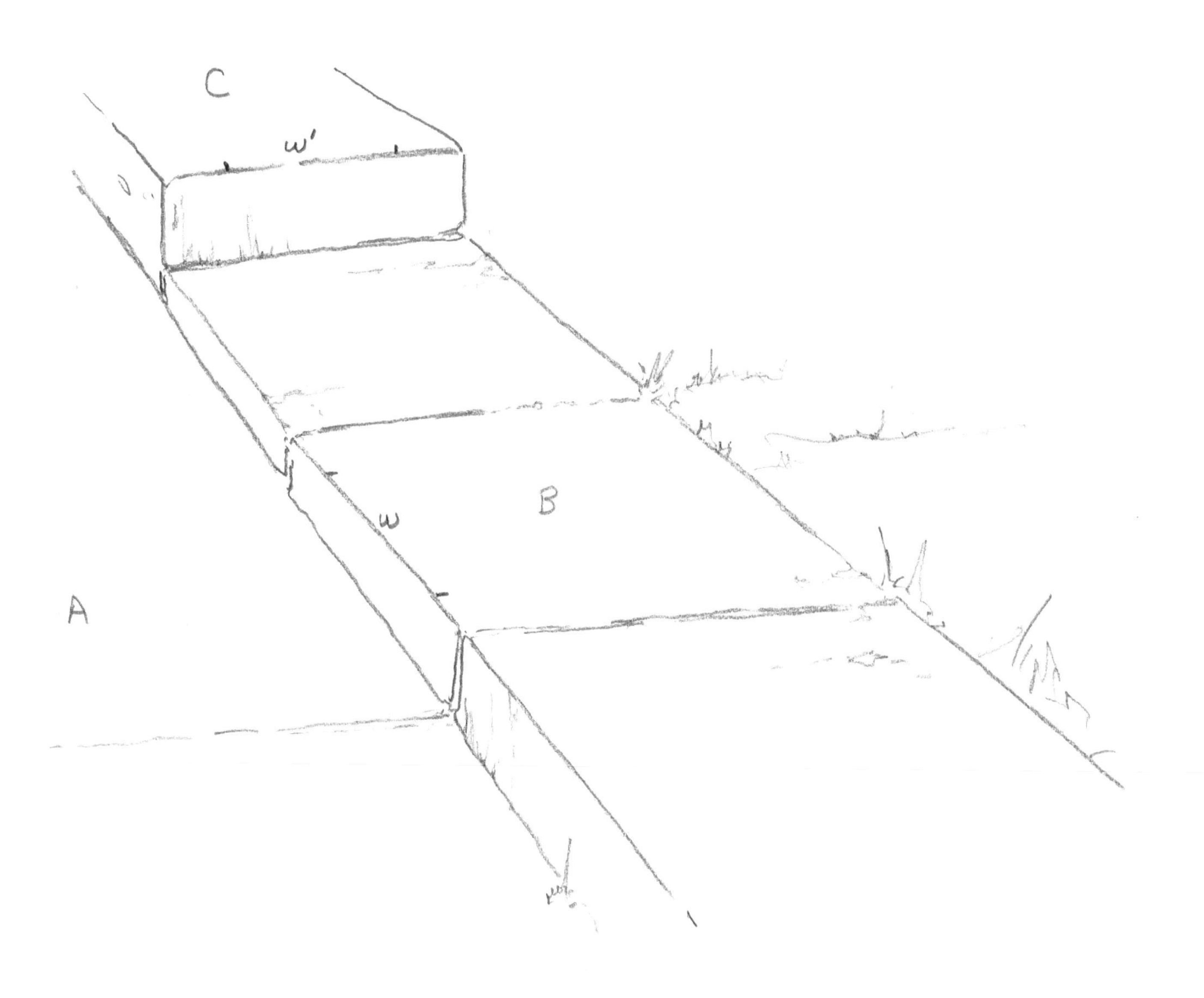

Routes et chemins

Bien qu'une route ou un chemin qui mènent à un bâtiment ne soient peut-être considérés que comme une partie insignifiante d'un dessin, ils peuvent pourtant, quand ils sont bien faits, produire beaucoup d'effet quant à l'impression de profondeur dans une scène tout comme pour la description d'un paysage plat ou vallonné. Dans le premier dessin, il s'agit d'un motif dépourvu apparemment d'une possibilité d'accès qui mènerait à la maison; elle a sans doute été construite par le même type qui a aussi la mienne sur la conscience. **En-dessous de ce dessin**, on a trois chemins différents grâce auxquels on pourrait monter jusqu'à la maison.

Prenez un petit morceau de papier-calque et retracez les lignes des trois chemins. Posez le premier chemin sur l'esquisse de la maison. Il semble tout à fait sans valeur. Il donne l'impression d'avoir la même largeur sur tout le parcours, ce qui, d'un côté, fait penser que le chemin est vertical par rapport à l'œil de l'observateur – de l'autre, que la maison trône sur un piton rocheux et le chemin semble être une échelle qui y mènerait!

Essayez le chemin suivant. Il a ce qui manquait au premier chemin: la perspective linéaire. Si l'on plaçait ce chemin, on parviendrait à la conclusion que le terrain qui va jusqu'à la maison est plus ou moins plat. Ce chemin laisse une trop forte impression de profondeur.

Essayez d'esquisser un chemin semblable mais qui ne s'ouvre pas tant que le deuxième – un chemin qui, d'une certaine manière, se trouve entre le premier et le deuxième exemple. Regardez bien comme le fait que le chemin se rétrécisse de plus en plus éveille l'impression que la maison éloignée se trouve sur une hauteur et que le chemin qui y mène est ascendant. L'extrême de cela est naturellement le premier chemin dans lequel la colline qui mène à la maison semble vraiment être très abrupte. Plus vous élargissez le chemin à l'avant et plus le paysage semble devenir plat, dans une certaine mesure, en tout cas. Quand l'élargissement devient trop grand, la perspective paraît tout simplement exagérée. Vous devriez essayer les largeurs les plus différentes pour trouver celles qui semblent convenir. Les chemins que nous avons analysés jusque-ici étaient assez droits. Certes, cela semble adéquat dans certaines toiles mais, souvent, vous avez certainement envie de faire serpenter un peu le chemin pour éveiller un peu plus d'intérêt. Placez le troisième exemple au-dessus du motif. Nous voyons maintenant ici comment deux techniques de perspective montrent leur efficacité. Nous ne nous servons pas seulement de la perspective linéaire comme dans le deuxième exemple mais de la modification des dimensions. En effet, on peut penser du chemin qu'il est constitué d'une suite de segments de forme semblable mais dont la grandeur diminue peu à peu à mesure qu'il disparaît dans le lointain (**tout en bas**).

Routes et chemins

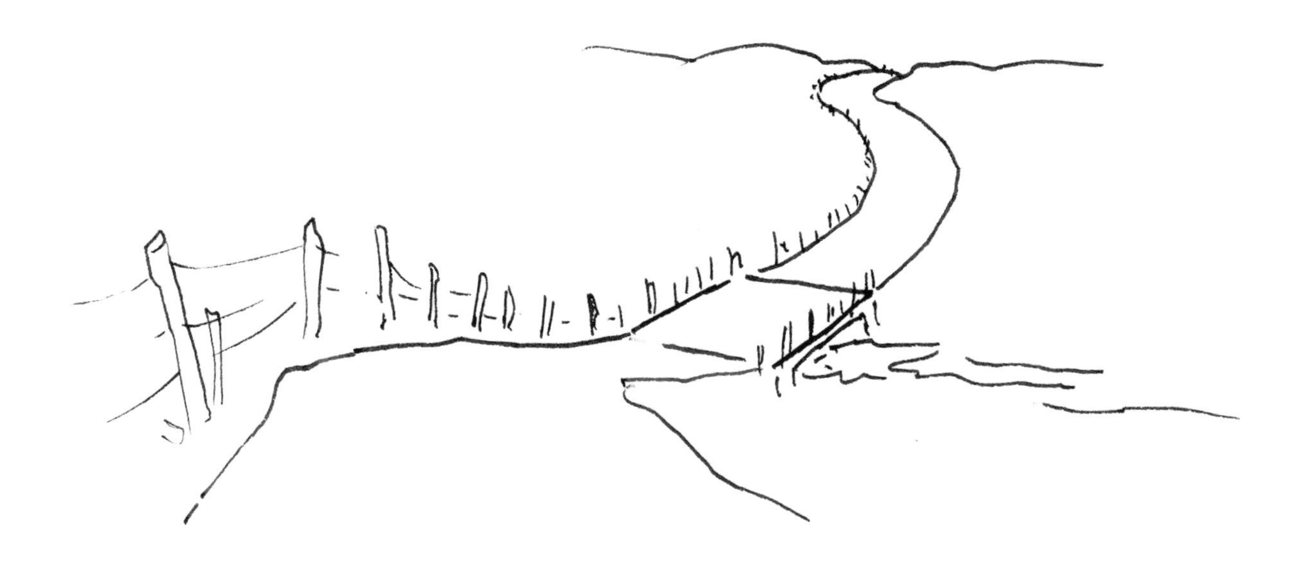

Un autre effet du chemin en zigzag consiste à ce qu'il attire l'œil dans la toile le long d'une ligne mise en scène. En revanche, le chemin droit le presse directement et sans détour jusqu'en haut, vers la maison. Les chemins et les routes sont des moyens efficaces dans les paysages traditionnels. Ils sont le fil dans lequel les bâtiments et autres objets sont enroulés. Et ils sont un moyen très important pour attirer l'attention. Quelquefois, il est compliqué de les dessiner, mais si vous vous les imaginez comme des dalles minces en perspective et que vous réfléchissiez quelle inclinaison peut avoir chaque segment, alors dessiner deviendra plus facile. Examinez ce qui se passe dans la scène **ci-dessus.**

Imaginez-vous cette route constituée de plusieurs segments, de 1, 2, 3, etc. jusqu'à 7 (**ci-dessous**).

J'ai représenté des lignes perspectives (ce ne sont que des approches grossières) ainsi que des points de fuite pour quelques-uns des segments. Le segment 3 me paraît être assez horizontal tandis qu'il traverse un ruisseau qui clapote. Il peut être considéré comme un rectangle aux points de fuite marqués. Le segment 1 semble aussi à peu près plat. On peut déduire ceci de son point de fuite (c'est par hasard qu'il est dans une perspective à un point), qui se trouve au niveau des yeux. Les segments restants sont inclinés. Leurs points de fuite sont aussi bien au-dessus qu'en dessous du niveau des yeux comme pour les toits que nous avons examinés avant. Évaluez pour vous à quel endroit les points de fuite des segments 4 et 5 peuvent se trouver. Vous les dénicherez assez haut, au-dessus du niveau des yeux. Si vous avez des difficultés à faire une route, alors, laissez-la courir et essayez de vous imaginer qu'elle est partagée en plusieurs segments rectangulaires dont certains sont obliques. Inscrivez le niveau des yeux, n'ajoutez que grossièrement où les points de fuite se trouveraient si on prolongeait les segments des rectangles et variez les emplacements de ces points de fuite pour parvenir au degré souhaité d'inclinaison. Pourtant, comme toujours, commencez par esquisser et n'utilisez les points de fuite et les lignes de construction que lorsqu'il s'agit de résoudre des problèmes.

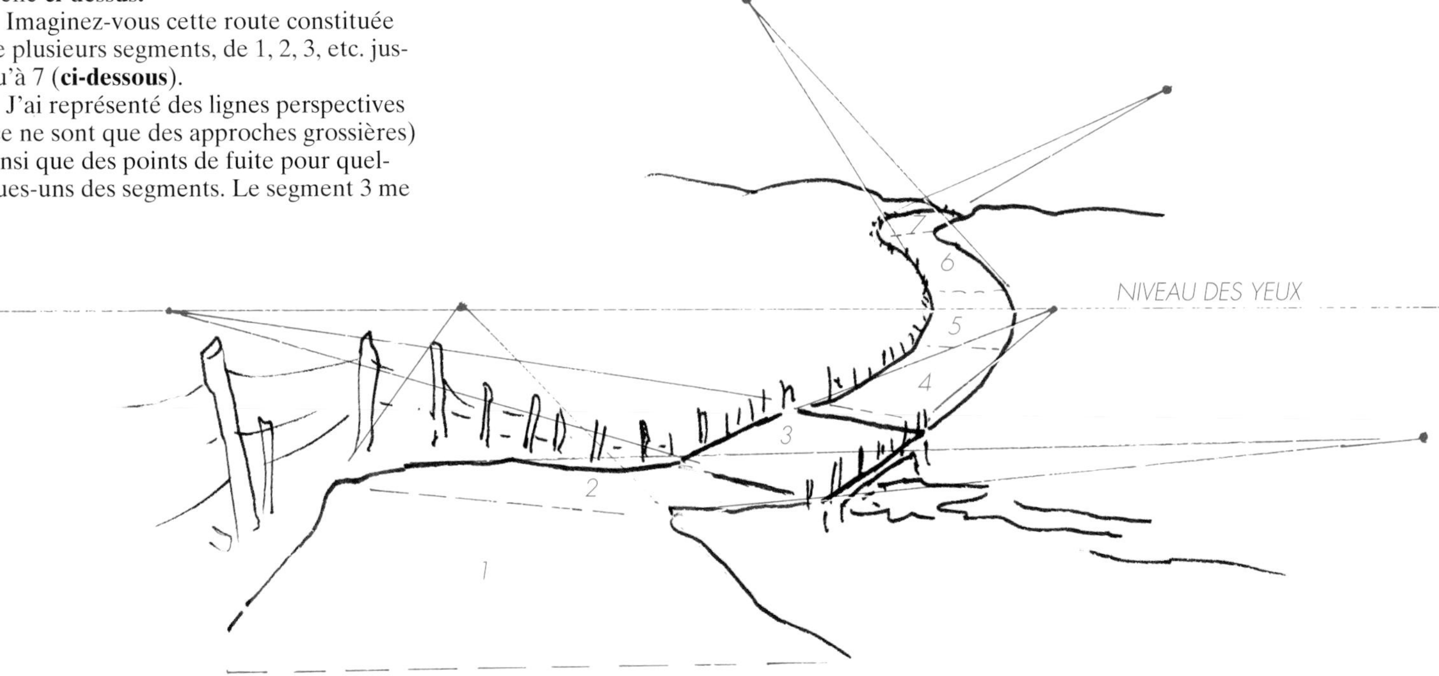

Souvent, le dessin expressif d'une route dépend de toute autre chose que des lignes qui doivent représenter des arêtes. Nous venons de parler de la valeur de segments qui deviennent peu à peu de plus en plus petits quand un chemin en zigzag part dans le lointain. Un autre procédé perspectif à effet consiste à porter son attention sur les détails des choses qui se trouvent le long de la route. **Ci-dessus**, les poteaux télégraphiques et les piquets de marquage par exemple contribuent plus à définir la route que les lignes de la route elle-même.

Si vous regardez bien, vous remarquerez le sommet de poteaux derrière la colline; ils indiquent que la route descend derrière la crête des collines et tourne un peu sur la droite. Quelques détails subtils peuvent être plus intéressants et révélateurs qu'une énorme quantité d'informations qui sautent aux yeux.

Encore un exemple: dans l'esquisse **du milieu** nous reconnaissons que la route présente un segment en déclivité que l'on ne peut pas voir de cet angle de vue. Comment savons-nous cela?

C'est la brisure entre le segment le plus en avant et le suivant qui nous le dit. Le fait que la largeur b soit inférieure à a trahit qu'il doit y avoir quelque chose de caché entre a et b et l'imagination complète ce que c'est. Ce qui y contribue également est le fait que le segment le plus éloigné se trouve complètement en dehors de la ligne qui le joint au premier. Et même si les segments étaient aussi bien alignés que ceux qui se trouvent **ci-dessous**, on saurait tout de même que nous nous trouvons sur une route digne des montagnes russes.

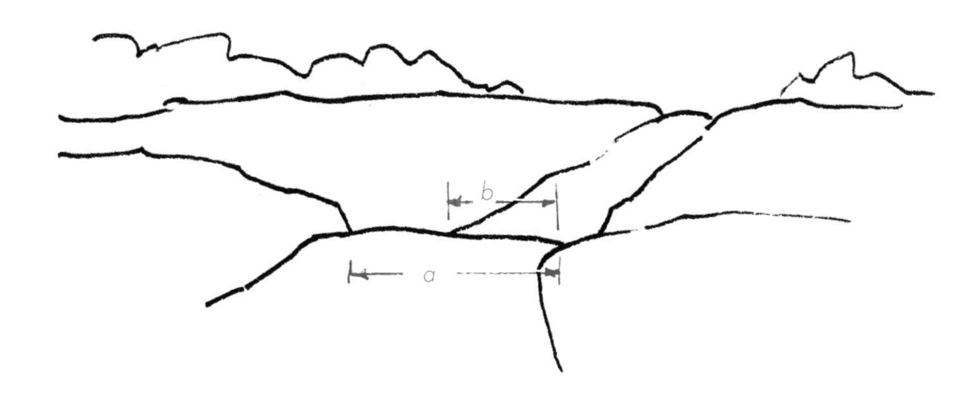

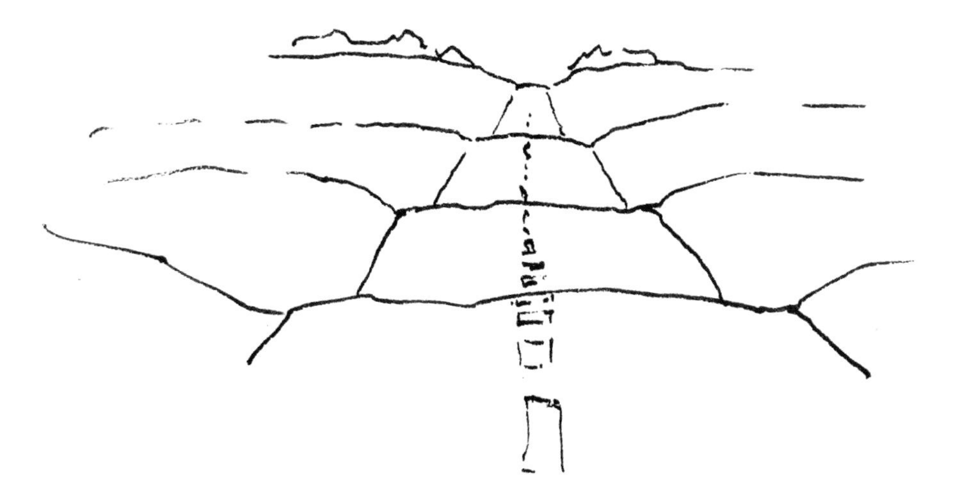

Exercice 12/**Quel chemin?**

Voici plusieurs chemins qui peuvent tous mener à la maison. Placez ces chemins chacun leur tour dans la scène à l'aide d'un crayon tendre ou d'un crayon de fusain pour que vous ressentiez les possibilités que vous avez. Il n'y a pas ici une réponse «correcte» mais une grande quantité de réponses susceptibles d'être choisies. Regardez dans quelle mesure chaque possibilité contribue à laisser une impression de profondeur dans le dessin.

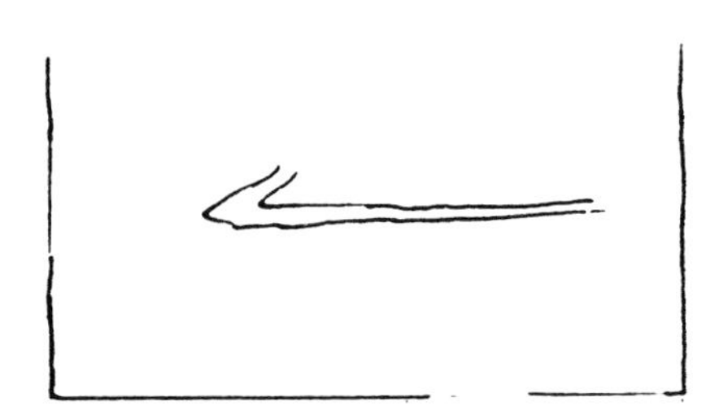

Champs et cours d'eau

Si vous vous mettez à peindre des champs plans dans le paysage, vous avez peut-être affaire à quelque chose d'analogue au dessin **ci-dessous, en haut, à droite**.

Dans un terrain vallonné, des sillons de terre labourée ou des lignes de gerbes de céréales suivent les mouvements du sol et peut-être que vous voyez une scène analogue à celle qui se trouve sur le deuxième dessin **ci-dessous, en bas, à droite**.

Dans de tels motifs, on peut trouver toutes les nuances de perspective. Vous verrez des gerbes de blé ou des sillons de terre labourée qui se rapprochent dans le lointain ainsi que l'exige la perspective linéaire: les épis, qui sont proches, sont grands, et ceux qui sont loin, sont minuscules; ceux qui sont proches, sont pleins de délicieux détails, ceux qui sont loin, imprécis et confondus en une seule forme; les plus proches sont d'un vert, jaune et marron très denses, les plus éloignés sont plus pâles et plus froids. Il semble que de tels champs veuillent nous offrir vraiment tout! Si vous sortez et que vous pouvez dessiner ces scènes apparemment simples, vous apprendrez beaucoup de choses sur la perspective. Il y a certaines choses que vous devriez considérer dans ces scènes: si on les reprend en peinture avec exactitude, elles ne s'accordent pas dans un tableau. Souvent, on a là par exemple un champ à proximité, d'un bleu vert vigoureux (peut-être un champ de seigle) et au loin, des couleurs fortes et chaudes (un sol fraîchement labouré, des champs recouverts de foin séché). La palette de couleurs peut être magnifique concrètement, mais sur votre toile les teintes éloignées et chaudes vont se presser vers l'avant et les teintes proches et froides vont se retirer à l'arrière-plan.

De tels désaccords évidents se font jour à tout moment. Ne vous laissez pas prendre par des règles du genre «les teintes chaudes viennent devant, les teintes froides se retirent». On dirait un ordre militaire. N'utilisez les règles que comme des lignes directrices pour amoindrir les problèmes. Si les couleurs ne veulent pas se soumettre à votre toile, prenez toutes les libertés nécessaires pour les amener à obéir, mais n'échangez pas à l'aveuglette un champ vert pour un champ jaune. Jouez tout simplement un peu avec les couleurs. Il est possible que vous n'ayez besoin dans cet exemple que de rendre le vert un peu plus chaud et d'attiédir un peu le jaune.

Peut-être pouvez-vous abandonner les couleurs à elles-mêmes. Mais jouez alors avec les autres procédés de perspective que vous connaissez et utilisez-les pour obtenir la profondeur que vous voulez obtenir sans faire attention à l'incompatibilité évidente entre la zone froide devant et la zone chaude derrière. Il se peut que des palis ajoutés dont les grandeurs diminuent rapidement tandis qu'ils s'éloignent dans la profondeur de la toile, ou des arbres ou des haies qui ont la même fonction, aident déjà beaucoup. De la même façon, l'enrichissement de grandes surfaces floues avec des détails aidera sûrement. Vous avez peut-être même au-dessus de vous une épaisse couche de nuages que vous pouvez peindre de telle sorte qu'elle se dissolve de plus en plus vers l'arrière de la toile en nuages de plus en plus petits. Ajoutez-y encore quelques objets qui se chevauchent et, très bientôt, vous aurez un dessin sur lequel les entorses à la couleur n'entraîneront plus de conséquences.

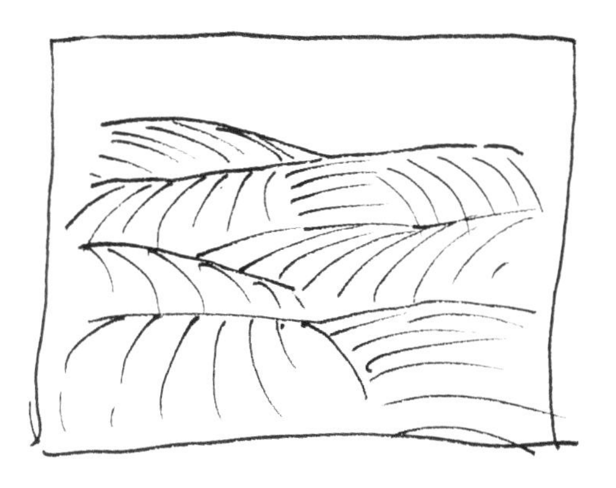

Champs et cours d'eau

Parfois, une rivière aux larges méandres coule au travers de votre paysage de champs. Vous pouvez très bien traiter une telle rivière comme si elle était une route sur la terre plane avec les torsions et les zigzags correspondants mais avec une largeur qui, très vraisemblablement change plus souvent que celle de la plupart des routes. Si vous voulez ajouter des rochers ou de faibles vagues, alors faites les détails les plus rapprochés plus distinctement que ceux qui sont plus éloignés, exactement comme si vous dessiniez n'importe quoi d'autre. Il y a une règle de prudence que je voudrais encore mentionner: l'eau est plate, sauf celle des cascades ou des rapides. Vous pouvez, comme on vous le montre **ci-dessous, au milieu**, renforcer la planéité par quelques traits bien mis, toutefois, vous pouvez inventer quelques-uns de ces traits horizontaux vous-même.

Si vous peignez, comme on le montre **tout en bas**, trop de ces rides effectives que vous voyez en ce moment et si elles ne sont pas horizontales, vous pourriez détruire l'impression de planéité. Ici pour une fois, ce n'est pas une bonne idée de copier fidèlement ce que vous voyez.

Escaliers

Les escaliers paraissent compliqués, mais ils sont, au fond, une variante d'un simple plan incliné, qui, de son côté, représente un bloc rectangulaire coupé en deux selon une diagonale (**à droite**), comme le morceau de fromage conique d'une esquisse dessinée précédemment. **A gauche**, on a la forme de base d'un escalier.

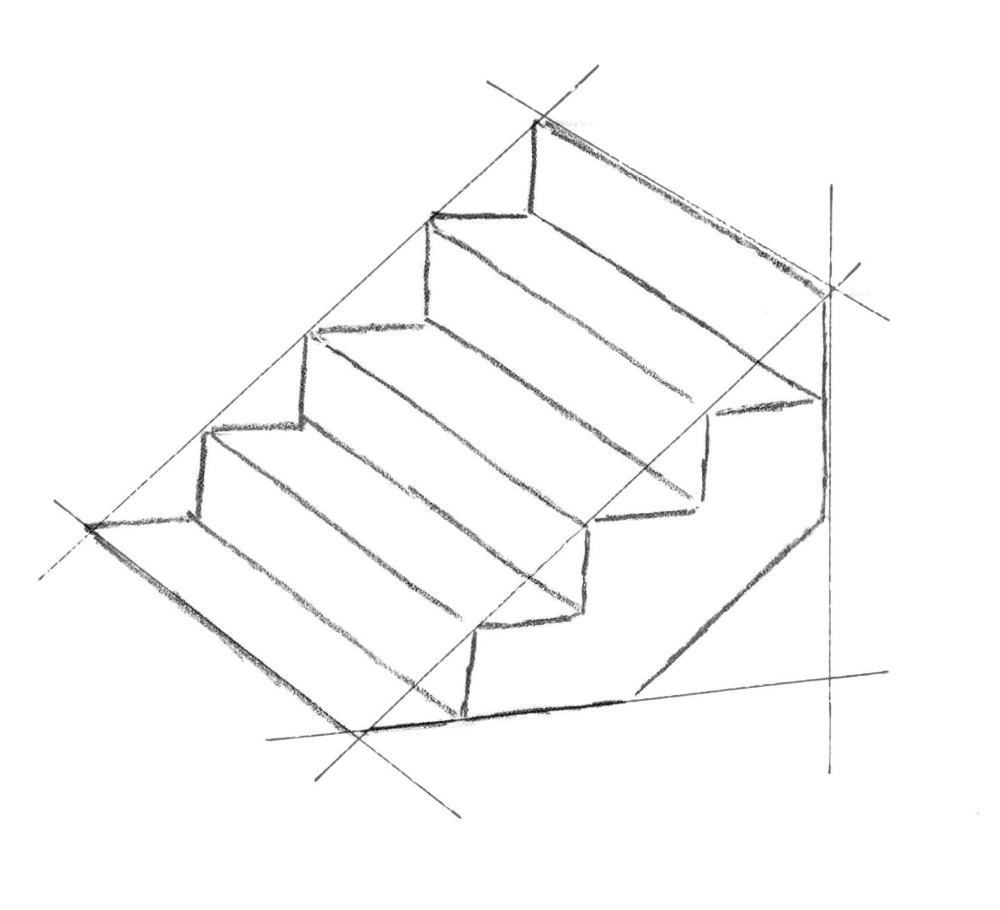

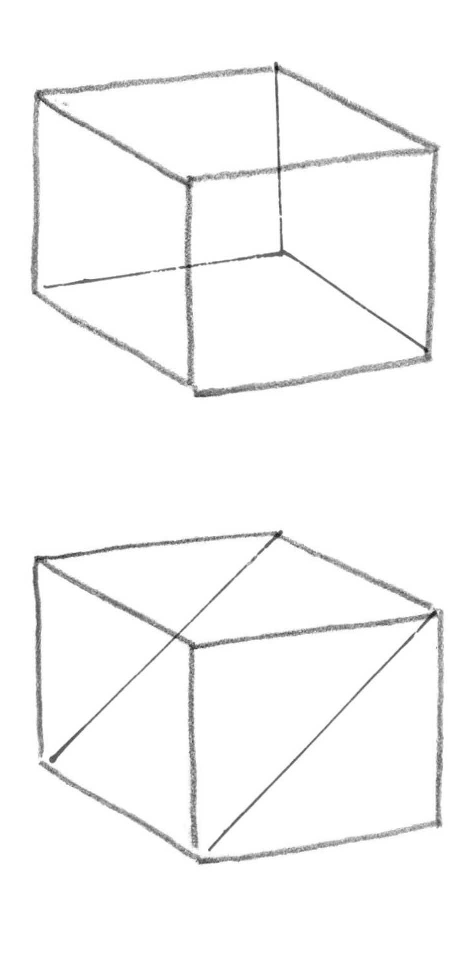

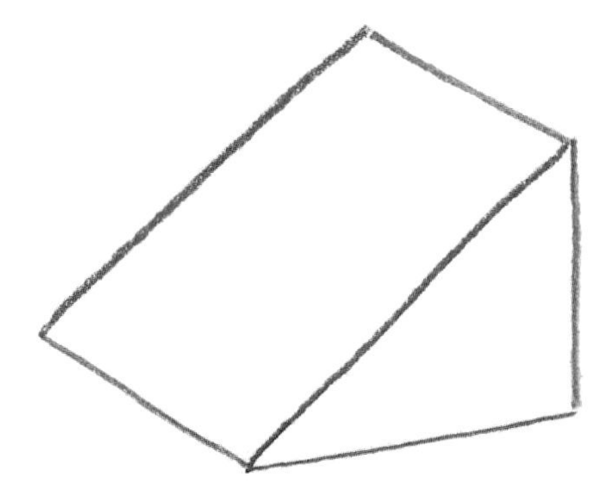

Escaliers

Ceci est une esquisse que je voulais travailler à l'origine pour en faire un dessin achevé, mais je ne l'ai jamais fait. Tout a cédé dans la vieille maison de car-ferries de Harper et sa perspective linéaire est loin d'être parfaite. Le niveau de mes yeux se trouvait au niveau du milieu de l'escalier droit. La rampe d'escalier supérieure est tellement affaissée que je pouvais voir la surface de ses planches au lieu de voir le dessous à plat.

Je vais vous présenter progressivement ce procédé que j'ai suivi en dessinant les escaliers de ce motif.

Pour dessiner les marches d'escalier supérieures, je n'ai ébauché aucune cale et aucun plan incliné en perspective bien que j'aie eu une telle image dans la tête. J'ai tracé tout d'abord quelques lignes fines représentant la direction et les délimitations extérieures de mes marches (**illustration 1**).

Ces lignes ont tenu mon escalier sur le bon cap et ont fixé le domaine qu'il devrai prendre dans mon dessin. Puis, j'ai marqué des lignes essentielles, horizontales et verticales qui indiquaient la forme de la poutre maîtresse (le long revêtement en dents de scie pour les marches) tournée vers moi. Ceci a fixé chaque marche en particulier (**illustration 2**).

Ensuite, j'ai dessiné l'arête supérieure «horizontale» de toutes les marches (**illustration 3**) et ajouté les arêtes éloignées verticales (le contour en dents de scie de l'autre côté de l'escalier, **illustration 4**).

Ensuite, ce fut chose simple que d'inscrire l'épaisseur des marches et d'incliner peu à peu les marches à mesure qu'elles descendaient en dessous du niveau de mes yeux.

Ci-dessous: encore un escalier que j'ai peint très consciemment en vue de la perspective. J'ai posé quelques lignes perspectives sur ma peinture. Commencez par observer que, dans ce motif, les objets représentés sont affaissés et que la perspective n'est pas correcte. Il suffit que les chanfreins de droite et de gauche s'accordent en général aux lignes en question.

La série de marches dans le dessin est contigüe au hangar et si elles étaient construites «correctement» et n'avaient pas souffert avec le temps, elles partageraient les mêmes points de fuite avec le hangar. En effet, si vous prolongez assez les lignes du côté droit, elles paraissent parvenir au même point de fuite, mais, par contre, pas du côté gauche. Les lignes que j'ai tracées à gauche de l'escalier arrivent, grosso modo, à peu près au niveau des yeux, à l'endroit où se trouve l'arbre à gauche du dessin. Mais dans une configuration correcte, ces lignes rencontreraient le niveau des yeux bien plus à gauche, et plus exactement, au même point que les lignes de l'arête du toit (ligne a). Un chose est sûre, c'est que l'escalier a faibli (comme nous tous) et de surcroît, il n'aura certainement pas été construit à la perfection à l'origine. Ici, d'autres techniques de perspective jouent encore un rôle. La richesse de détails au milieu du dessin contribue à attirer le regard. Le chemin esquissé qui est plus large au premier plan que près des marches dirige le regard vers les marches; on a un certain flou dans l'arrière-plan éloigné; le changement abrupt de la valeur près du portail a pour effet que l'intérieur du hangar semble bien plus loin que la façade; et une série d'objets se chevauchent et se repoussent les uns les autres vers l'arrière.

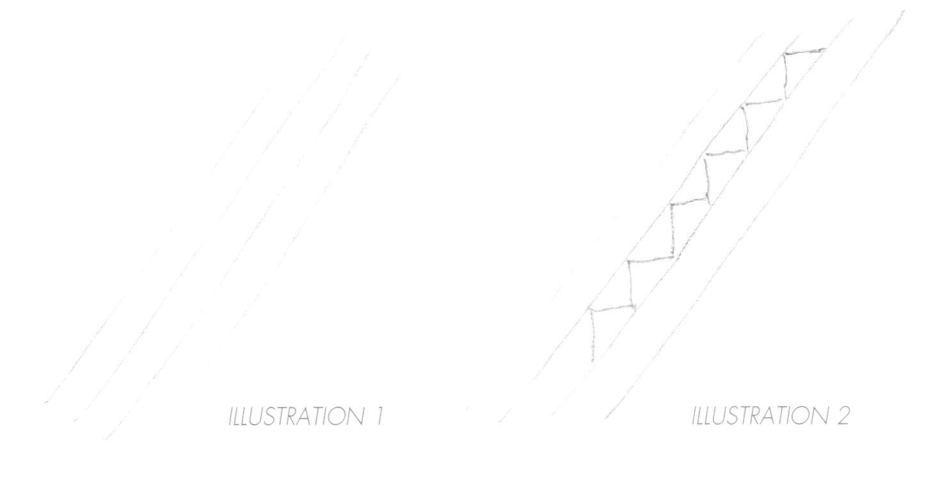

ILLUSTRATION 1

ILLUSTRATION 2

ILLUSTRATION 3

ILLUSTRATION 4

Exercice 13/**Construisons un escalier**

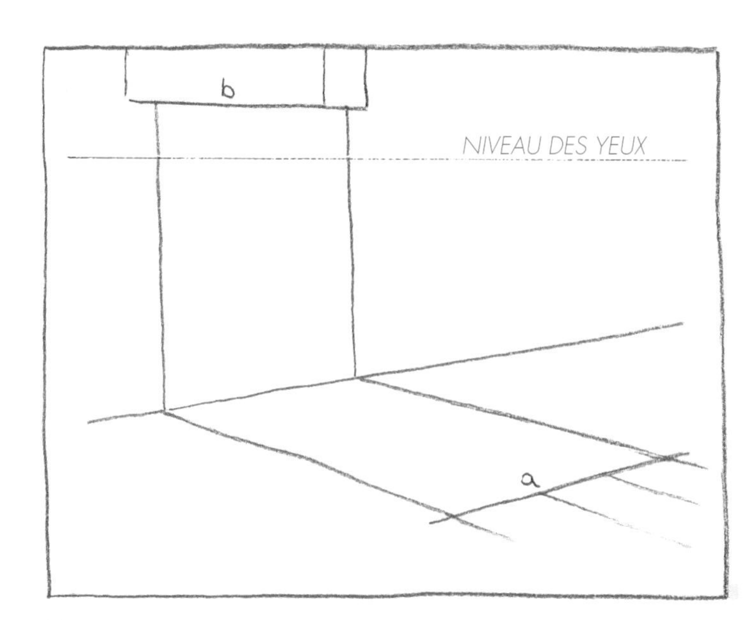

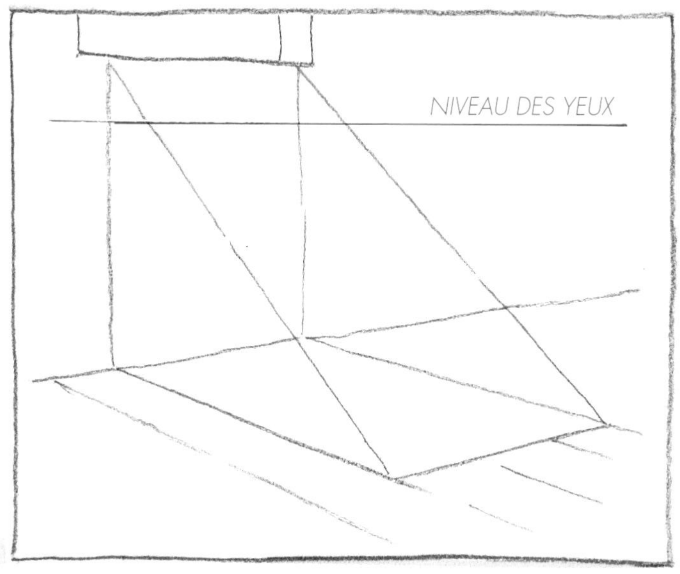

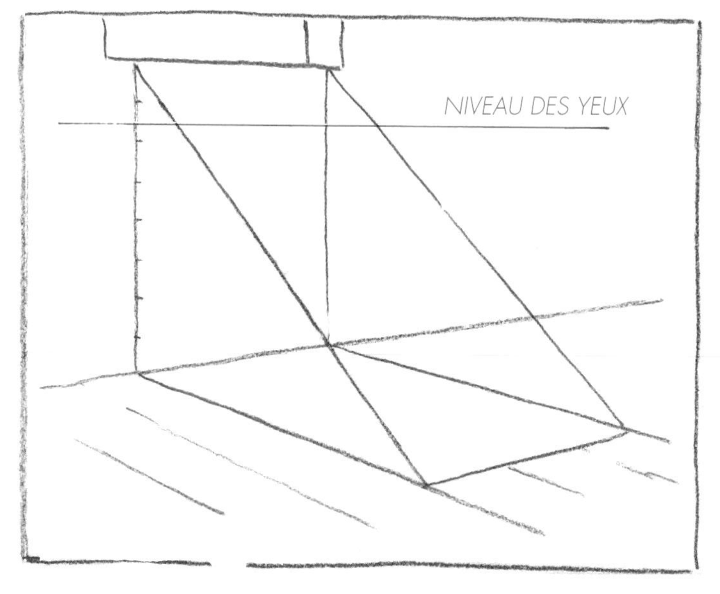

Voici un exercice qui montre une manière (il y a beaucoup de méthodes différentes) de dessiner des escaliers. Si vous exécutez l'exercice avec moi et si vous suivez la méthode que je propose, alors je pense que vous ne trouverez pas du tout déroutante la construction d'escaliers. Je ne veux pas vous faire marcher, mais dessiner une enfilade d'escaliers qui doit bien aller dans un espace particulier (le genre de mission à laquelle se voit confronté un architecte) peut être une chose très délicate. Mais cela peut aussi être amusant. Si vous comprenez les bases de la perspective linéaire qui ont été présentées dans les deux manuels, vous pouvez résoudre la plupart des problèmes d'escaliers. Si vous tombez dans des situations inextricables qui, disons, concernent des cages d'escaliers rondes, les choses deviendront bien plus compliquées, mais même à ce moment-là, vous pourrez construire votre escalier dans un cylindre en perspective.

Utilisez la feuille d'exercice de la page 47 et suivez-moi. Le travail consiste à dessiner une enfilade d'escaliers entre la ligne a et la baie de la porte qui se trouve sur le sol surélevé. Ceci est une solution d'approche. Il existe des livres d'indications architecturales complètes et exactes pour construire des escaliers, mais vous n'avez pas besoin de vous en occuper ici.

Commencez par ce que vous connaissez: la largeur supérieure de l'escalier est b. Comme la partie supérieure de l'escalier est un peu plus loin de vous que la partie inférieure, b doit être un peu plus court que la largeur de base de l'escalier. Plus court de combien? Faites tomber les verticales des deux points d'extrémité de b. Là où ces verticales touchent le sol, suivez les lattes de plancher jusqu'en a. Vous avez la largeur et la position de la base de l'escalier là où les deux lignes de plancher coupent a (vous savez naturellement que les lignes du plancher vont vers le point de fuite gauche).

Tirez d'un trait léger les deux lignes qui établissent la pente et la forme conique de l'escalier entre a et b. Fixer le nombre de marches que l'escalier doit avoir.

Nous en prendrons huit y compris la marche la plus haute en b. Partagez l'une des deux verticales, tracées auparavant, en huit parties semblables.

Tirez de légères lignes de construction passant par ces points en direction du PFG. Maintenant, vous avez l'inclinaison des marches.

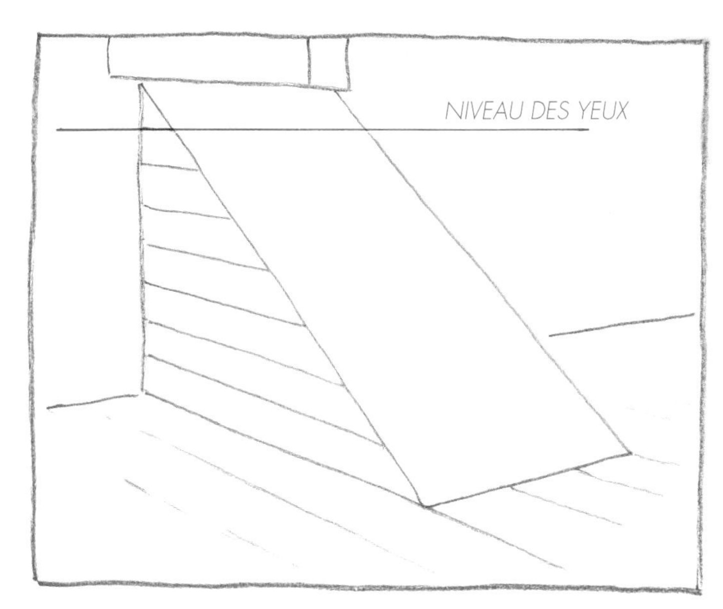

Tirez des lignes de construction du PFD aux points où l'inclinaison des marches rencontre le plan incliné. Maintenant, vous avez les arêtes saillantes de toutes les marches.

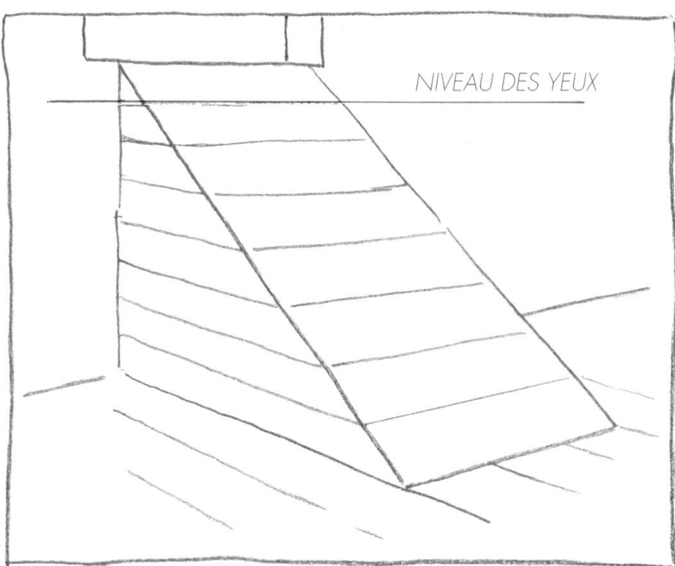

Tirez des lignes courtes et verticales qui marquent les faces des marches (la partie verticale entre les marches). Mettez en évidence le contour en dents de scie ainsi obtenu.

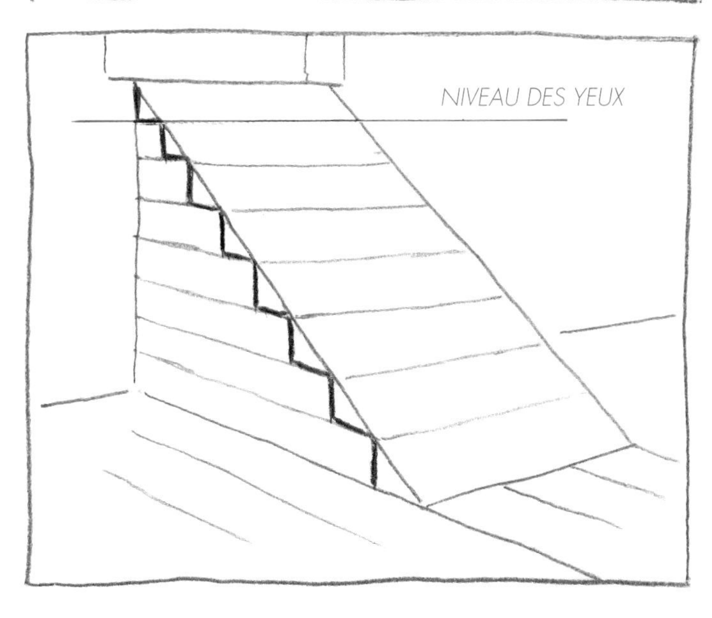

Exercice 13/**Construisons un escalier**

Tirez des lignes du PFD jusqu'à chacun des points inférieurs des dents de scie. Ces lignes définissent les arêtes arrière des marches. Faites de petits traits verticaux pour marquer les arêtes droites de l'avant des marches.

Complétez la dent de scie droite par des lignes se dirigeant vers le PFG.

La forme de base de l'escalier est terminée et prête pour les détails. Vous pouvez faire ces détails sans problème à main levée, mais comme vous voyez, ils suivent aussi les lois de la perspective!

Instructions, cf. page 44

Trouvez la rue

Toutes les techniques de perspective que nous avons traitées se retrouvent dans cette rue. C'est pourquoi, c'est une excellente occasion d'utiliser en une fois ce que nous avons appris jusqu'ici.

Dessiner un tel motif fait vraiment plaisir et une représentation comme la mienne même si elle n'est qu'ébauchée, vous fait vraiment recourir à votre sac à malice. Essayez donc de dessiner quelques motifs de rue même si ce n'est pas le genre artistique que vous appréciez. L'exercice entrainera vos «muscles à dessin».

Mais, surtout, ne sortez pas pour ne chercher que le bon motif et rien d'autre. Montez votre chevalet n'importe où, enfin, pas à un endroit où vous pourriez vous faire écraser par un camion, et commencez à dessiner.

La plupart d'entre nous cherchent continuellement un motif qui soit «le seul valable», ne le trouvent jamais mais passent leur temps à chercher. Au lieu de cela, piquez un motif dont vous êtes à peu près satisfait, puis retenez-le sous forme graphique.

Volume II/ 2e Chapitre

Reprenons le tout

Introduction

Les trois premiers chapitres des deux manuels ont traité tous les procédés fondamentaux de perspective dont on doit disposer dans les Beaux-Arts. La technique la plus importante est la perspective linéaire mais les autres techniques telles que le chevauchement, la modification de dimension et d'espace, le modelé, les détails et contours tout comme la modification des couleurs et de la valeur sont également importantes et effectives.

Dans ce manuel, nous mettons quelques détails au point. Quelques sujets approfondissent ici des procédés dont nous avons déjà parlé, et montrent comment on les utilise dans des travaux difficiles. On peut considérer d'autres sujets – les ombres, les reflets, les réfractions – comme des techniques de perspective inférieures. Parfois, elles influencent l'impression de profondeur, quelquefois, non et c'est pourquoi elles ne seront que brièvement évoquées ici. Et enfin, nous mentionnons les erreurs fréquentes en perspective et mettons en garde contre les limites de l'utilisation de techniques perspectives.

Matériel

Les choses dont vous avez besoin dans ce manuel sont les suivantes: quelques crayons (2B-tendre, HB-moyen et 2H-dur suffisent) ou du fusain si vous préférez, un miroir plan de trente centimètres ou plus au carré, une lampe de poche, un vaporisateur, du carton, des ciseaux et quelques autres petites choses encore.

Des détails, des détails

Quand nous parlons d'illusion de profondeur, on croit souvent à tort que nous voulons parler de profondeur assez considérable – de kilomètres ou au moins de mètres. Mais on peut considérer aussi le terme de «profondeur» différemment. Au lieu de toujours penser à de grandes distances, dirigez votre attention sur le volume ou le caractère tridimensionnel d'un objet. Si vous parvenez à faire apparaître un objet d'une manière tridimensionnelle même quand la troisième des dimensions ne fait qu'un ou deux centimètres, vous avez alors renforcé d'une manière décisive l'impression de profondeur de votre surface à dessiner plane. Une méthode importante pour parvenir à cette impression de volume consiste à doter votre dessin de détails appropriés, comme je vais le montrer dans les exemples suivants.

Des briques

Le dessin **ci-dessous** montre quelques briques en perspective. Vous voyez qu'elles sont dessinées conformément aux règles fondamentales de la perspective linéaire que vous avez déjà apprises: des lignes inclinées vers la droite se rejoignent en un point de fuite du côté droit, des lignes inclinées vers la gauche du côté gauche et des petites lignes verticales restent verticales.

Supposons que nous enrichissions la maigre esquisse de quelques détails. Dessinez, vous aussi, comme moi, directement dans la première esquisse. Nous voulons nous défaire tout d'abord des arêtes parfaites et toutes droites.

Des briques véritables ne sont pas du tout aussi bien faites. En règle générale, elles ont des arêtes irrégulières, des lézardes et des éclatements.

Puis nous devons en représenter l'épaisseur. Les briques sont reliées avec du mortier de multiples façons. L'une des plus courantes est celle du mortier peu profond. Maintenant, nous voulons ajouter un peu de structure de surface et fixer une source lumineuse (**tout en bas**). J'ai choisi une source lumineuse en haut, à droite si bien que les ombres que j'obtiens sont jetées vers la gauche et en dessous de chaque brique. Tout le mur de gauche, où les briques font un coin, se trouve à l'ombre.

Au fait: si vous placez les valeurs (contraste clair-obscur) de deux zones qui se rejoignent comme ce coin de briques, vous avez avantage à rendre plus foncé le côté sombre de l'arête. Cela renforce le contraste au coin et contribue à mettre en évidence une impression plus grande de brisure qui, à son tour, favorise l'impression de profondeur. Cet obscurcissement supplémentaire de la zone de jonction des deux arêtes n'est pas seulement un truc pour obtenir plus de profondeur – c'est vraiment ainsi que nous voyons une telle situation. L'arête foncée à proximité de la claire paraît plus sombre qu'elle ne l'est en réalité à cause du contraste avec l'arête claire.

Détails

Détails

Comme vous le voyez, l'apport de quelques détails peut aviver des objets ennuyeux. Cependant, vous n'avez pas besoin de vous en tenir strictement au motif pour obtenir des résultats. Supposons que vous dessiniez un mur de briques à distance et que vous vous trouviez face à lui. Ses briques peuvent tout d'abord avoir la même apparence que sur le dessin **ci-contre, en haut**.

Ce n'est pas très palpitant. Voyons si les briques se réveillent un peu avec un peu plus de détails.

J'ai entrepris ici différentes choses pour rendre le mur plus intéressant. Ce qui est important, c'est que, dans la mesure où cela concerne la perspective, la simple mise en place de détails comme les ombres portées au-dessus et à côté de quelques briques évoque leur épaisseur et que de ce fait le mur plat et bidimensionnel devienne un mur tridimensionnel. Vous remarquerez que je me suis décidé à ne pas doter tout le mur de détails. J'ai pris juste ce qu'il fallait pour que naisse le sentiment de volume et j'ai laissé le reste au soin de l'imagination de l'observateur. Donner à l'observateur la possibilité de «placer» certaines choses inconsciemment est une manière d'attirer l'attention.

UNE COUPE LONGITUDINALE

Revêtement en bois

Le revêtement en bois, qu'on trouve dans de nombreuses maisons que les gens aiment tant peindre, fait partie d'une autre forme de détails qui peut renforcer le sentiment de profondeur. Comme c'est le cas aussi du mur en briques, vous pouvez donner de l'intérêt à la construction en regardant exactement quel type de revêtement il possède et vous familiariser avec ses détails pour lui en donner juste ce qu'il faut afin de créer l'impression plastique recherchée.

Voici **ci-contre** l'exécution d'un revêtement simple et incliné, doté de quelques ombres portées, dépourvues de complexité.

Je reviens aux ombres parce qu'elles sont un genre de détail sur lequel on peut compter pour donner de l'épaisseur ou de la profondeur à un dessin. Au cas où le revêtement serait vieux et décomposé, comme dans mon esquisse précédente, vous avez en outre quelques possibilités de reprendre des détails tels que des clous, des fentes ou de la peinture qui s'écaille.

Si vous êtes quelqu'un de soigneux, il se peut que le revêtement en bois ait, à quelque distance, la même apparence que **ci-contre, en haut**.

Mais si vous vous en détachez et que vous observez quelques détails ou que vous en inventez d'autres, vous arriverez à un dessin comme celui qui se trouve au **milieu**.

Tout comme pour les briques, des détails supplémentaires du revêtement contribuent à en faire un objet doté d'épaisseur et de profondeur. L'ombre est une forme de détail qui aide et qui est jetée d'une banche à l'autre. Cette bande étroite d'ombres indique à l'observateur que quelque chose se trouve là, devant quelque chose d'autre. Ceci veut dire aussi qu'une certaine épaisseur ou profondeur est présente.

Notez que même une tête de clou enfoncée reçoit un peu d'ombre du bord de la planche dans laquelle il est enfoncé. Les lézardes sombres et les jointures entre quelques planches sont des détails qui peuvent contribuer à nous aider dans la représentation de l'approfondissement. Si la planche n'avait pas d'épaisseur, il n'y aurait pas de renfoncement. Et la façon dont l'ombre de l'arbre saute de planche en planche nous raconte d'une manière raffinée que celles-ci ne peuvent pas être des planches fixées à plat; l'épaisseur doit être présente: une petite saillie entre l'arête inférieure de l'une des planches et l'arête supérieure de la suivante. Toutes ces choses ne sont que des petits détails mais toutes ensemble, elles réhaussent la planéité et ébauchent la profondeur.

Il existe de nombreuses sortes de revêtement en bois. C'est à vous de regarder avec attention, de reconnaître le caractère du revêtement que vous dessinez et d'incorporer son essence dans le dessin. Si vous voulez dessiner un bâtiment d'une manière convaincante, vous devez tout aussi bien faire attention à son «vêtement» que s'il s'agissait d'un modèle vivant. **Ci-dessous**, vous avez encore plus d'exemples de revêtements en bois susceptibles d'être rencontrés.

Toits

Les détails que vous observez sur certains bâtiments sont différents d'une région à l'autre. Moi-même, je connais bien les bâtiments à l'est de l'Amérique du Nord. Au cas où vous viendriez de Floride ou du sud-ouest de l'Amérique, vous verriez une grande quantité d'ouvrages en stuc mais peu de revêtements en bois. Dans quelque endroit que vous soyez, vous devez vous approchez très très près des objets pour apprendre à les connaître. En écrivant ces lignes je me trouve, soit dit en passant, justement dans un motel de Californie et attends de donner ma fille en mariage demain. Je vois là par la fenêtre des toits de tuiles (**en haut, à gauche**) qui sont différents de ceux de l'est du pays.

En y regardant de plus près, je distingue que les tuiles sont superposées pour que l'eau n'y rentre pas mais s'écoule le long du toit et disparaisse. Elles sont à peu près comme sur le dessin de détail **à gauche, au milieu**.

Cette façon de recouvrir partiellement est semblable à celle des bardeaux en carton-pierre, bois ou ardoise comme on nous les montre **au centre, en bas** et **à gauche, en bas**. Vous voyez que les rangées de tuiles verticales sont à peu près cylindriques et qu'elles se comportent dans la distance comme tout cylindre le ferait, c'est-à-dire que l'extrémité à peu près circulaire paraît elliptique et que les rangées de tuiles parallèles se rejoignent en un point de fuite.

Je n'ai pas du tout l'intention de faire de vous un architecte. J'essaie seulement de mettre en évidence que, dans tout ce que vous dessinez, vous devez observer les détails si vous voulez les représenter en expert. Si, par exemple, je n'avais pas la moindre idée de la façon de poser des tuiles sur un toit, je dessinerais quelque chose d'analogue au dessin **en bas, à droite**, et j'obtiendrais le toit le moins étauche du monde. Quelqu'un qui s'y connaîtrait davantage, jetterait un regard rapide sur mon dessin ou sur mon tableau, serait irrité et se tournerait vers le travail d'un autre en étant convaincu que je ne savais vraiment pas ce que je faisais.

Vous n'êtes pas obligé d'introduire une quantité considérable de détails dans votre dessin. C'est, en effet, une erreur fréquente. Mais vous devriez chercher à apporter la bonne quantité de détails pour 1) apporter de la perspective et 2) rendre votre dessin équilibré. Quant à savoir maintenant quelle est la «bonne quantité», on ne peut naturellement pas le déterminer dans des formules. C'est une question d'inspiration artistique et

ce qui est juste pour un artiste ne l'est pas obligatoirement pour un autre. Le nombre de détails que vous apporterez changera au cours de votre vie artistique autant que votre style, votre goût et vos motifs. Une chose est pourtant sûre: plus vous connaîtrez de détails de votre motif et plus vous serez capable de décider avec certitude ce que vous pouvez laisser de côté. Dans un cours de Dale Carnegie sur la rhétorique, on conseille à l'élève de savoir cinquante fois plus de choses sur le sujet que ce qu'il pense référer dans n'importe quelle conférence. Avec tout ce savoir en tête, il aura l'assurance de choisir soigneusement les quelques perles qu'il présentera aux auditeurs.

Mais retournons au sujet des deux manuels: la perspective, art de créer une impression de profondeur. La mise en place de détails est l'une de ces techniques, mais elle-même en utilise à nouveau certaines autres comme par exemple le chevauchement, le modelé, le changement de dimension et la perspective linéaire. La mise à profit réussie de la perspective exige presque toujours un assemblage de nombreuses techniques et non pas l'utilisation d'une seule.

Exercice 1 / **Détails**

Complétez dans chacune des deux paires d'esquisses, celle qui est tracée sans appuyer comme la mienne pour obtenir une idée de l'effet produit par les détails sur la perspective. Ne vous laissez pas troubler parce que vous ne faites que «copier»; l'intention est de voir comment le détail d'une esquisse floue avale la planéité et lui donne une impression de profondeur. Dans les deux cas, choisissez à tout prix une source lumineuse avant de commencer. Votre source lumineuse n'a pas besoin d'être obligatoirement la même que la mienne. Si la mienne est à droite, vous pouvez placer la vôtre à gauche.

Esquisse de Shirley Porter

Encore plus de menuiserie

Jusqu'ici nous avons dessiné une quantité de maisons et de granges en forme de boîtes dans les deux manuels, mais nous ne leur avons ajouté aucune des particularités qui donnent à ces bâtiments leur personnalité unique. Nous les avons laissés simples pour rendre reconnaissables leurs traits fondamentaux. Les différences entre les bâtiments sont innombrables et nous ne pouvons pas espérer les traiter toutes; nous pouvons examiner cependant quelques exemples qui nous serviront de base pour dessiner des détails de construction que vous rencontrerez vraisemblablement. Nous nous préoccuperons ici de parties de bâtiments dans lesquelles la perspective est importante.

Mansardes

Examinons tout d'abord une mansarde. C'est une construction qui se trouve sur un pan de comble et qui a une fenêtre (une lucarne). Elles existent dans de nombreuses formes et grandeurs, y compris celles qui sont montrées **ci-dessous**.

C'est peut-être troublant de s'imaginer les angles particuliers dans lesquels la lanterne coupe le toit de la maison. Heureusement, vous n'avez pas besoin de cela. Commencez par des choses qui vous sont familières: des boîtes rectangulaires dont les lignes vont jusqu'aux points de fuite et les angles étranges vont se placer d'eux-mêmes.

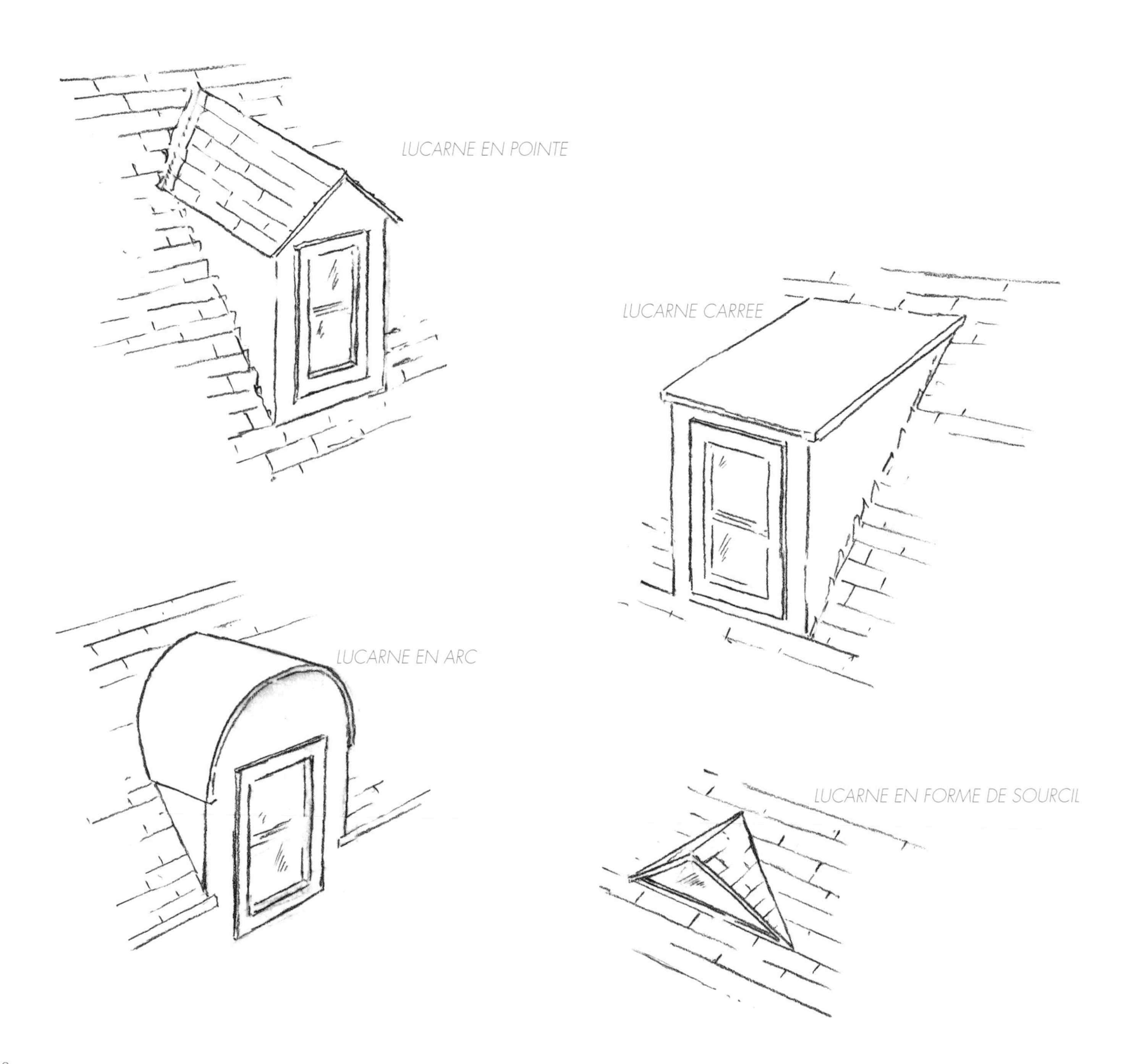

Imaginez-vous que la mansarde soit une petite maison posée d'équerre sur une plus grande (**ci-dessous**).

Vous devez tout d'abord décider à quel endroit du toit vous voulez placer la mansarde. Une mansarde unique sera souvent centrée. S'il y en a deux ou plus vous devez résoudre la question de savoir où les mansardes doivent se trouver dans votre dessin, soit grâce à la force de votre imagination artistique (donc par supposition), soit à l'aide de constructions assez fignolées. Si tout cela vous déconcerte, vous trouverez un passage, plus loin dans ce manuel, qui vous aidera en matière d'exactitude.

Puis, dessinez les lignes principales de la lanterne. Imaginez-vous que ce petit chapiteau émerge du toit principal comme une niche à chien et se soumette à toutes les lois de la perspective linéaire. Ses lignes horizontales se dirigeront vers les mêmes points de fuite que ceux de la grande maison. Il en serait autrement s'il s'agissait d'une mansarde tordue dans un angle oblique par rapport à la maison. Mais c'est rare.

Comme on peut le voir **tout en bas**, la ligne de faîte (b) devrait être inclinée sur la gauche et aller vers le PFG, le point de fuite vers lequel se dirigent aussi les lignes inclinées sur la gauche de la maison principale. L'arête de base de la mansarde (c) va en PFD.

Les différentes étapes pour dessiner la face de la mansarde sont les mêmes que celles que nous avons suivies pour dessiner les maisons du deuxième chapitre du manuel 1. Mais comment allons-nous déterminer les lignes d'intersection de la mansarde avec celles du toit principal? C'est simple quand vous avez reconnu que l'arête de la gouttière de la lanterne, la ligne k, va vers le PFG et que la ligne m dans laquelle la surface latérale de la mansarde rencontre le toit principal, est parallèle à l'arête antérieure du toit principal. La ligne n indique l'endroit où le toit du chapiteau coupe celui de la maison. Le parcours de cette ligne dépend de l'angle de vue à partir duquel vous voulez exécuter votre dessin. Dessinez d'abord les autres lignes et laissez-les fixer les points d'arrêt de cette ligne-là.

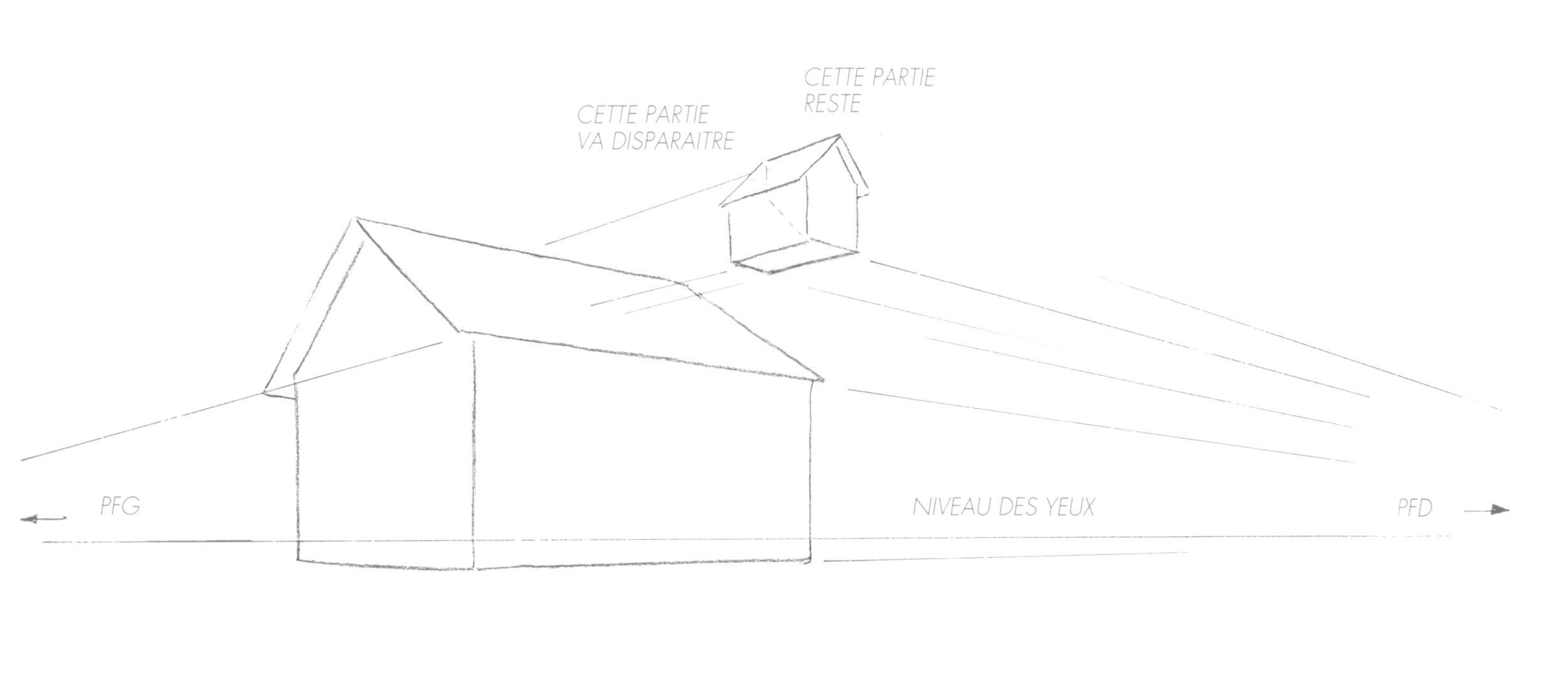

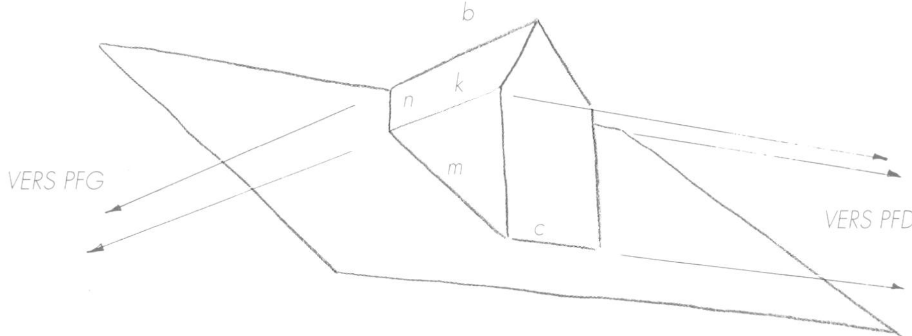

Exercice 2/**Mansardes**

A la page 61, on a le côté d'un toit incliné. Le travail consiste à construire deux mansardes (lanternes à pignon comme on l'explique dans le texte). J'ai indiqué où les faîtes des montages devaient rencontrer le faîte de la maison. De la même façon, j'ai marqué la pente du toit de la mansarde la plus en avant (n°1). Commencez par placer la mansarde n°1 parce que la deuxième sera en partie cachée par la première. Les différentes étapes sont les suivantes:

Etape 1: Tirez la ligne c pour fixer où l'arête de base des lanternes rencontre le toit.

Etape 2: Tirez la ligne a parallèlement à l'arête de façade du toit. Tracez la ligne verticale d en passant par le point d'intersection de a et c. La ligne d coupe en deux la façade de la mansarde (en perspective).

Etape 3: Tirez les lignes e, f, et g qui délimitent la partie orthogonale de la façade de la mansarde. Vous pouvez faire ce que vous voulez des hauteurs de e et f. La ligne g va vers le PFG. Tirez h et j pour obtenir la partie triangulaire de la façade de la mansarde.

Etape 4: Tirez la ligne k qui va vers le PFD; tirez la ligne m parallèlement à l'arête antérieure du toit. Tracez enfin la ligne n. Puis ajoutez la partie saillante du toit de la lanterne, la fenêtre et d'autres détails. Dessinez la mansarde n°2 de la même façon. Des parties de la mansarde 2 seront cachées par la mansarde 1: tout dépendra de l'endroit à partir duquel on verra ces mansardes, de la largeur choisie pour la mansarde 1 et de combien vous la laissez surplomber du toit principal. Certes, la mansarde 2 semblera plus étroite que la mansarde 1 en raison de la perspective, mais ses proportions seront les mêmes (en considérant une nouvelle fois les erreurs de perspective dans le dessin).

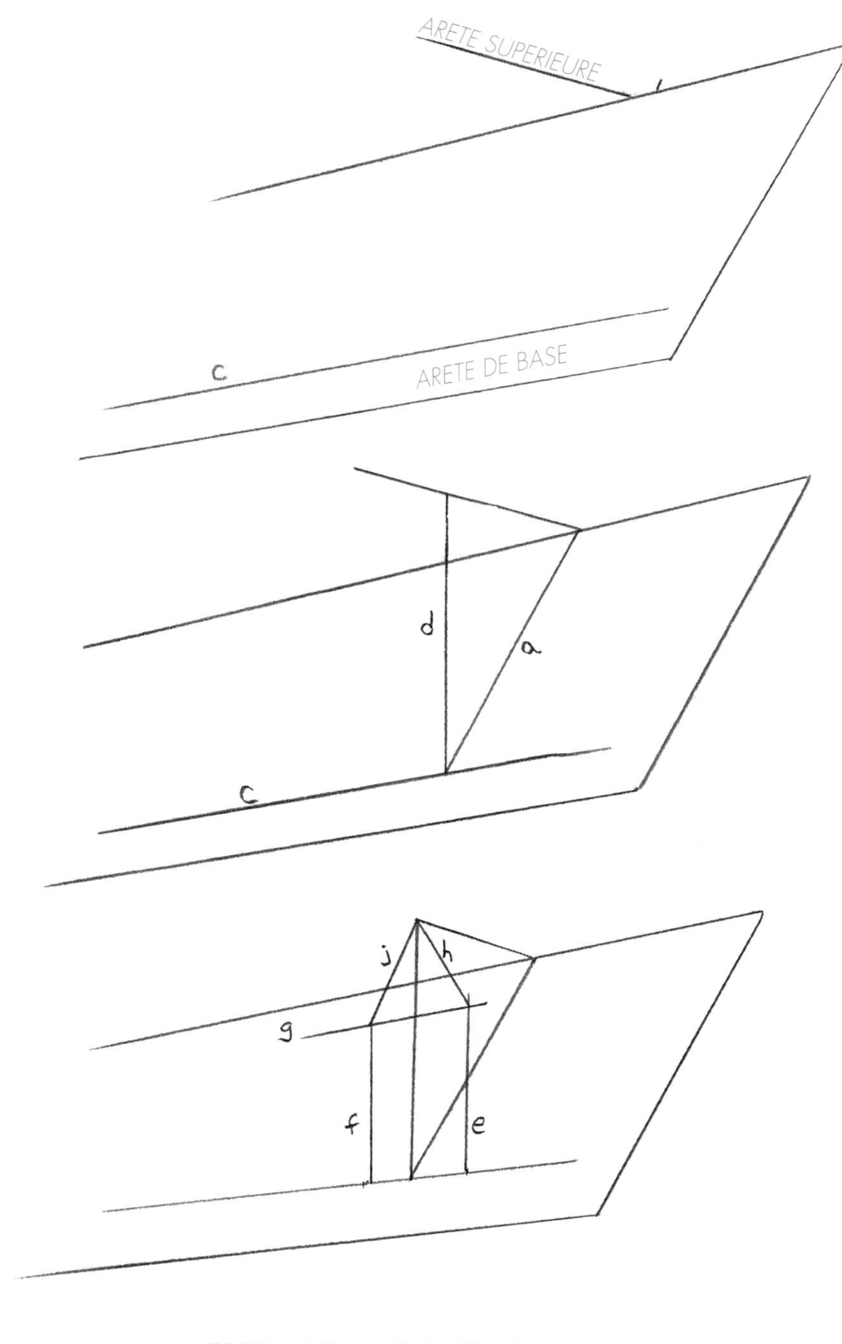

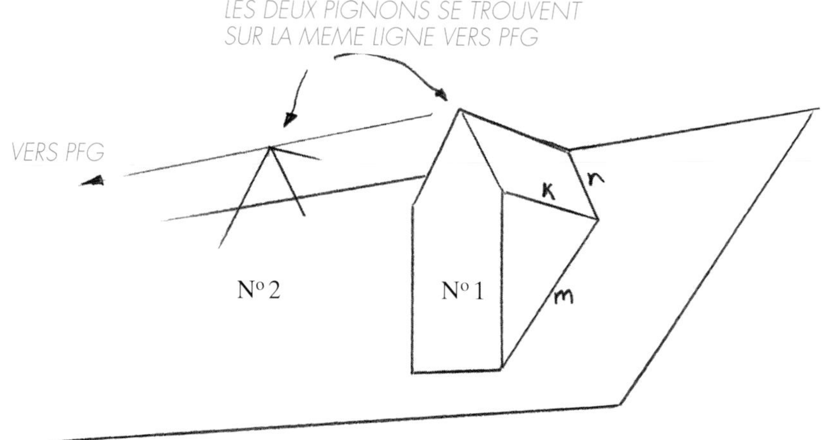

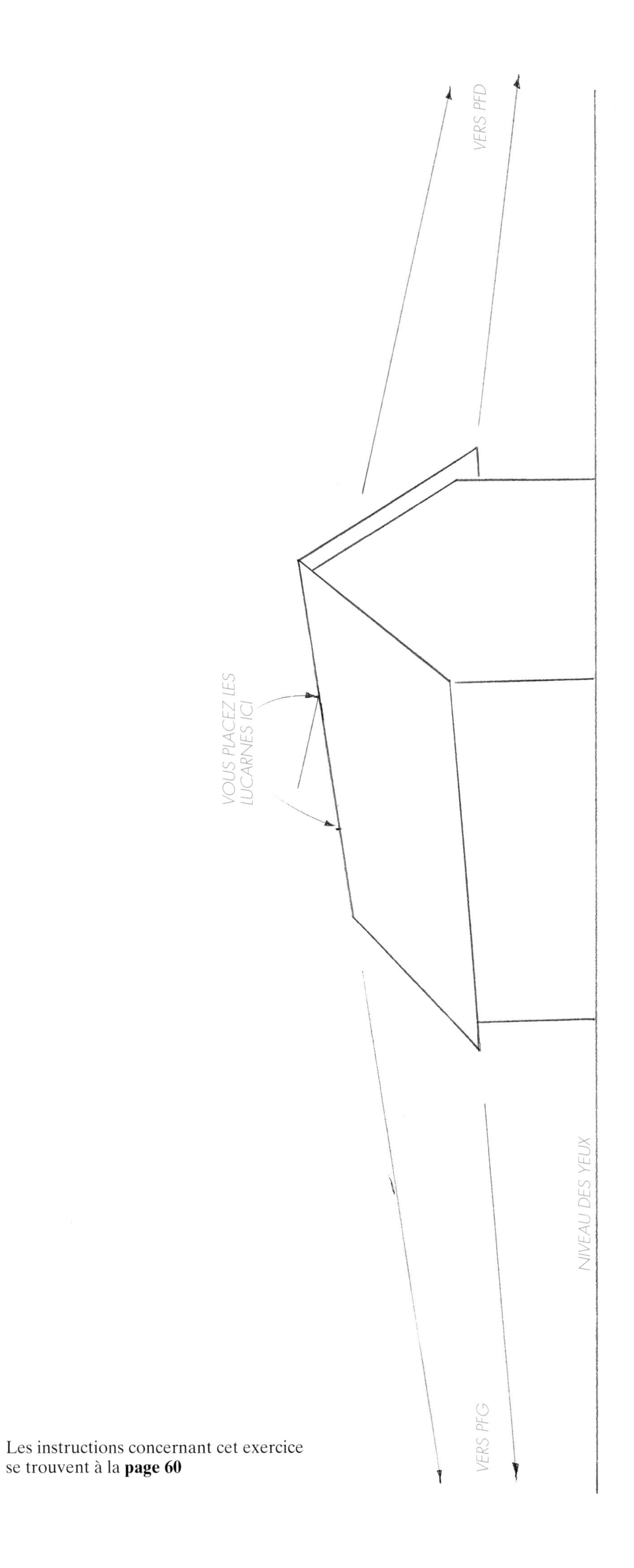

Les instructions concernant cet exercice
se trouvent à la **page 60**

Fenêtres et portes

Il y a un autre élément de menuiserie que les artistes n'aiment pas trop: la construction de fenêtres et de portes. Si vous dessinez d'une distance assez grande, cela ne fait rien mais dans des vues de près, votre compréhension de ces détails de construction peut être essentielle. Observez par exemple la différence entre les deux fenêtres **ci-dessous**. Le dessin de gauche témoigne d'une certaine connaissance quant à la construction de ce genre de fenêtres. C'est une fenêtre à guillotine double. La moitié supérieure et la moitié inférieure glissent indépendamment l'une de l'autre. Sur l'esquisse de gauche, la fenêtre inférieure est en retrait, c'est-à-dire que la fenêtre supérieure chevauche la fenêtre inférieure. Elles sont toujours faites ainsi, comme les bardeaux sur le toit, pour que l'eau de pluie ne puisse pas pénétrer dans la maison. L'esquisse droite a peu de profondeur; elle ne fait rien pour nous convaincre qu'il s'agit de quelque chose de réel.

Mais il y a là encore quelque chose à laquelle il faut faire attention quand on dessine des objets comme des fenêtres. Bien que cela n'ait pas grand-chose à faire avec la perspective, on doit pourtant le mentionner ici, je crois. Évitez de placer des fenêtres inutiles sur un bâtiment comme ces erreurs de débutants **tout en bas**.

Dans le premier dessin, nous avons une fenêtre juste en dessous de la cheminée. Dans le deuxième exemple, les fenêtres sont trop basses, dans la troisième, trop hautes. Vous pouvez éviter des discordances dans les deux dernières en plaçant mentalement des gens dans la maison et en contrôlant s'ils peuvent s'intégrer.

Décorations

Il y a très exactement un milliard de milliards de décorations différentes que vous pouvez compter sur les bâtiments divers. Vous ne pouvez pas seulement apporter des décorations pour embellir votre peinture mais aussi pour insister sur la perspective. Vous vous débarrasserez vite de votre dessin si vous recopiez des formes comme **ci-dessous** et que vous essayez de leur donner les mêmes contours à toutes. Vous oubliez peut-être par exemple de dessiner la console la plus éloignée, plus petite que celle qui est plus rapprochée de vous.

Si vous êtes tout d'abord satisfait de l'une des consoles de décoration et que vous tirez ensuite de légères lignes de repère en perspective, vous constaterez que les consoles restantes peuvent être dessinées avec beaucoup moins de mal que si vous essayiez de dessiner chaque console indépendamment des autres (**centre**).

Un autre exemple d'ornement apparaît très souvent aux arêtes des toits des granges ou des hangars où les chevrons devraient être visibles sans problème et ne pas être cachés par je ne sais quelles planches clouées (**tout en bas**).

De telles constructions offrent l'occasion à l'artiste de prendre quelques détails intéressants. Bien que les granges soient construites ainsi pour des raisons financières, la même pensée est reprise aujourd'hui dans de nombreuses maisons pour leur conférer un extérieur rustique.

Exercice 3/**Consoles et bois en grume**

Dans les deux parties de cet exercice, il est conseillé de bien tendre la feuille d'exercice et d'ajouter assez de papier supplémentaire des deux côtés de cette feuille pour que vous soyez en mesure de fixer les points de fuite afin de les repérer exactement.

Beaucoup d'autres bâtiments possèdent des consoles de décoration sur la corniche du toit. Partez de la console que j'ai marquée comme point de départ (a), tirez de fines lignes de repère jusqu'au point de fuite correspondant et utilisez celles-ci pour dessiner avec plus de facilité deux autres consoles aux endroits marqués. N'oubliez pas que les hauteurs des consoles s'amoindrissent à mesure que la distance grandit. Leurs épaisseurs diminuent de la même façon.

Tracez en (b) un deuxième support rond. J'ai tracé une ligne pour vous aider à donner la position de l'arête la plus avancée de la tige que vous devez dessiner.

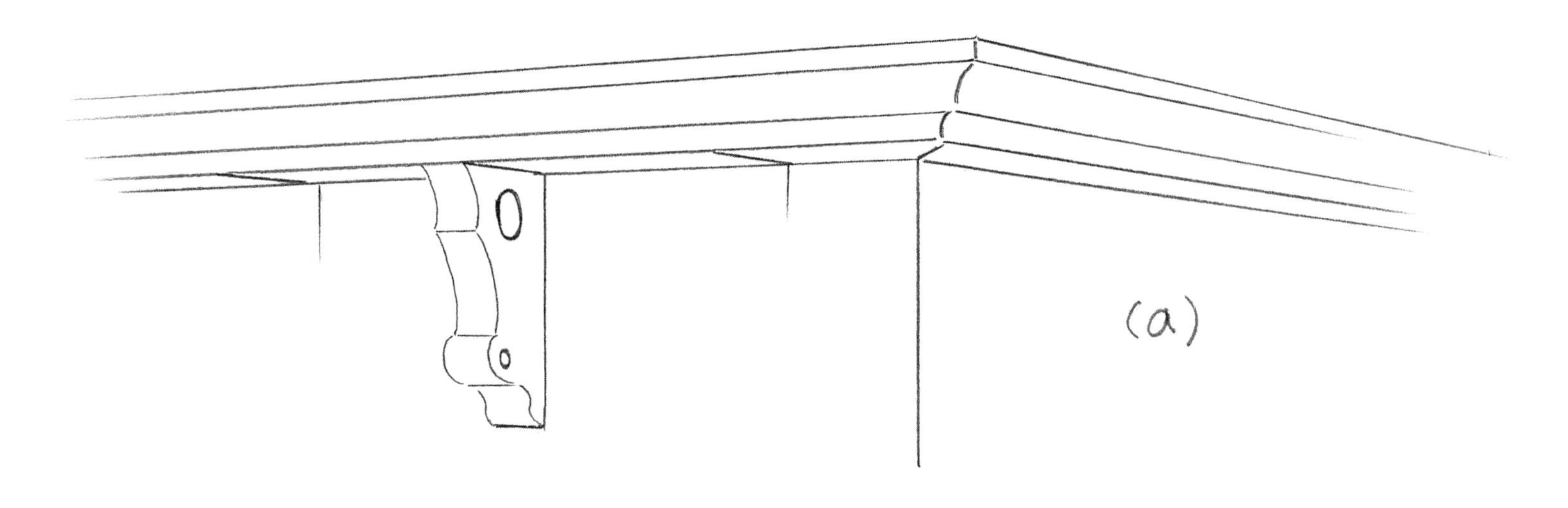

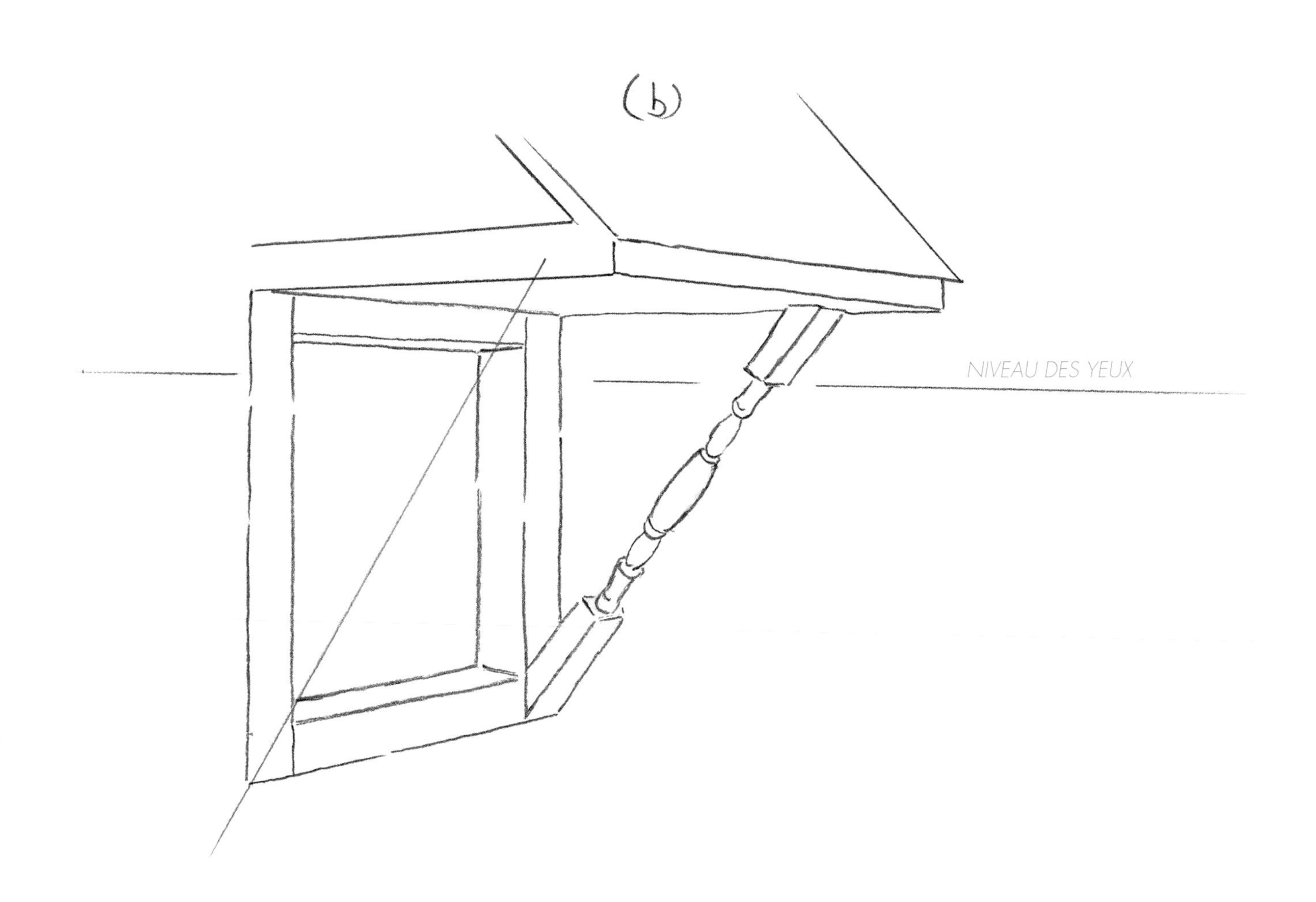

Projection

Un artiste doit souvent placer des lignes sur une surface courbe pour représenter des rayons de bicyclette, des cannelures ou des stries distribuées régulièrement sur une escape, des fenêtres dans une tour ronde et d'autres choses encore. Je présente une méthode simple pour que vous voyiez comment on peut le faire. On prendra des rayons de bicyclette pour expliquer ceci en détail dans l'exercice qui commence **ci-contre**.

Rayons

Quand on regarde de face un objet comme une roue d'une manière telle que la perspective ne joue aucun rôle, c'est vraiment simple d'en dessiner les rayons. La roue peut être divisée et redivisée, autant de fois que vous le désirez, pour obtenir le nombre voulu de rayons (**ci-contre**).

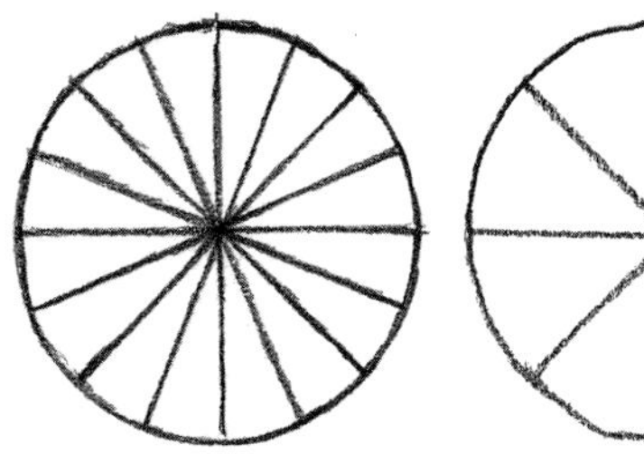

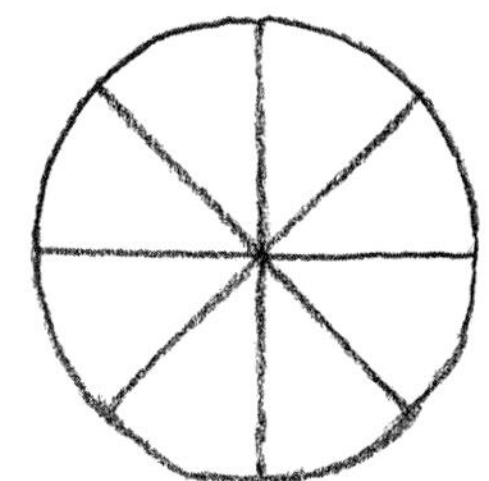

Admettons que cette roue se soumette à la perspective et que nous n'ayons plus affaire à un cercle mais à une ellipse. Il est très facile de trouver quatre des rayons si nous dessinons les deux axes de l'ellipse, mais les rayons restants ne sont pas si simples. Nous savons uniquement par intuition que les rayons se resserrent à mesure que l'on s'approche des extrémités étroites de l'ellipse. Une solution d'approximation suit pour trouver comment les intervalles entre les rayons changent. Tracez, au-dessus de l'ellipse, un cercle du même diamètre que le grand axe de l'ellipse (**centre**). Puis, subdivisez le cercle comme un gâteau dans un nombre souhaité de morceaux égaux. Continuons avec huit.

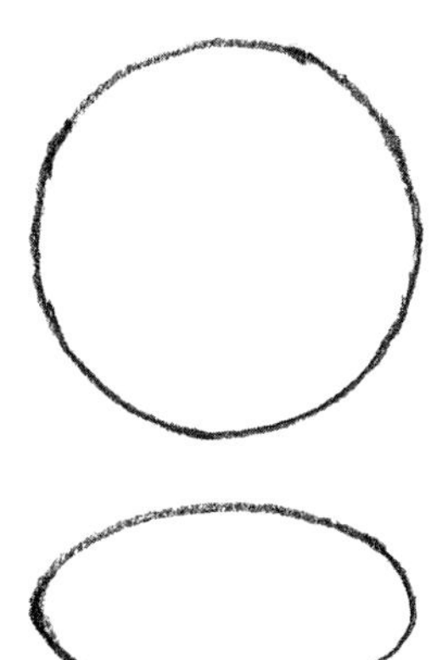

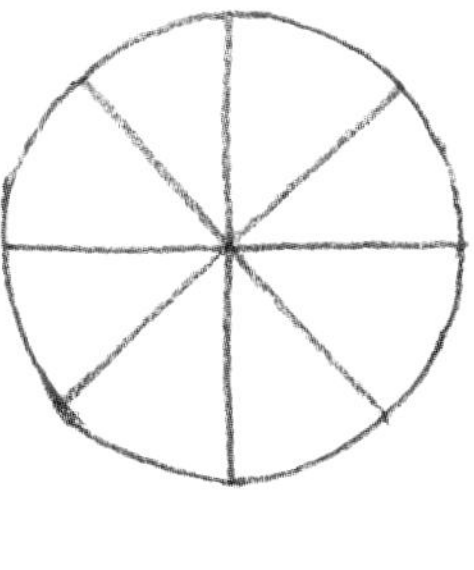

Puis tirez les verticales des points d'intersection des rayons avec le cercle en descendant jusqu'à l'ellipse.

Tracez maintenant vos rayons du centre de l'ellipse jusqu'à chaque point d'intersection des lignes verticales avec l'ellipse. Pour approcher encore plus près de la solution correcte, décalez légèrement le centre de l'ellipse vers l'arrière pour arriver plus près du centre perspectif avant d'insérer les rayons.

Comme vous pouvez le voir, projection signifie, tirer des lignes de repère à partir d'une figure d'objet jusqu'à une deuxième figure pour noter où sont représentées les parties critiques de cet objet dans celle-ci. Dans les exemples suivants, nous utiliserons plus amplement la projection.

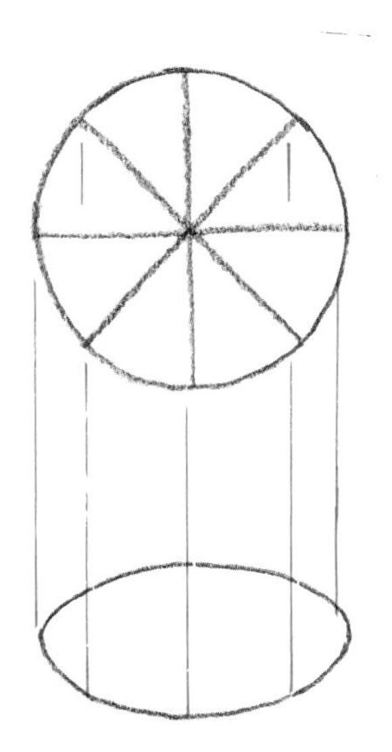

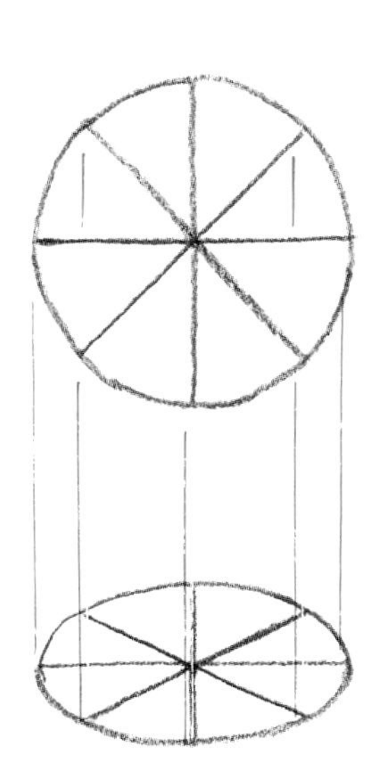

POUR ETRE ENCORE PLUS CORRECT, J'AI DECALE LEGEREMENT LE «CENTRE» VERS L'ARRIERE, EN LE RAPPROCHANT DU CENTRE PERSPECTIF

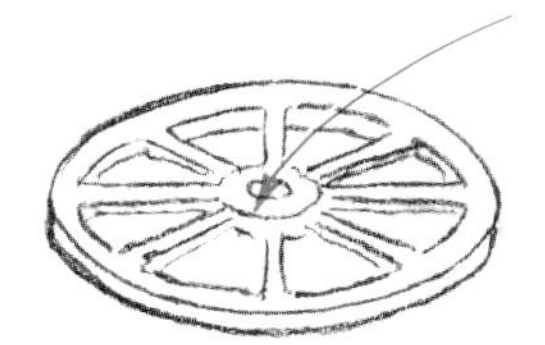

Exercice 4/**Rayons**

A l'aide de la méthode de projection, tracez, dans l'ellipse, des rayons en perspective qui vont dans chacun des cercles. Dans le quatrième exemple, montrez la largeur de chacun des rayons en perspective.

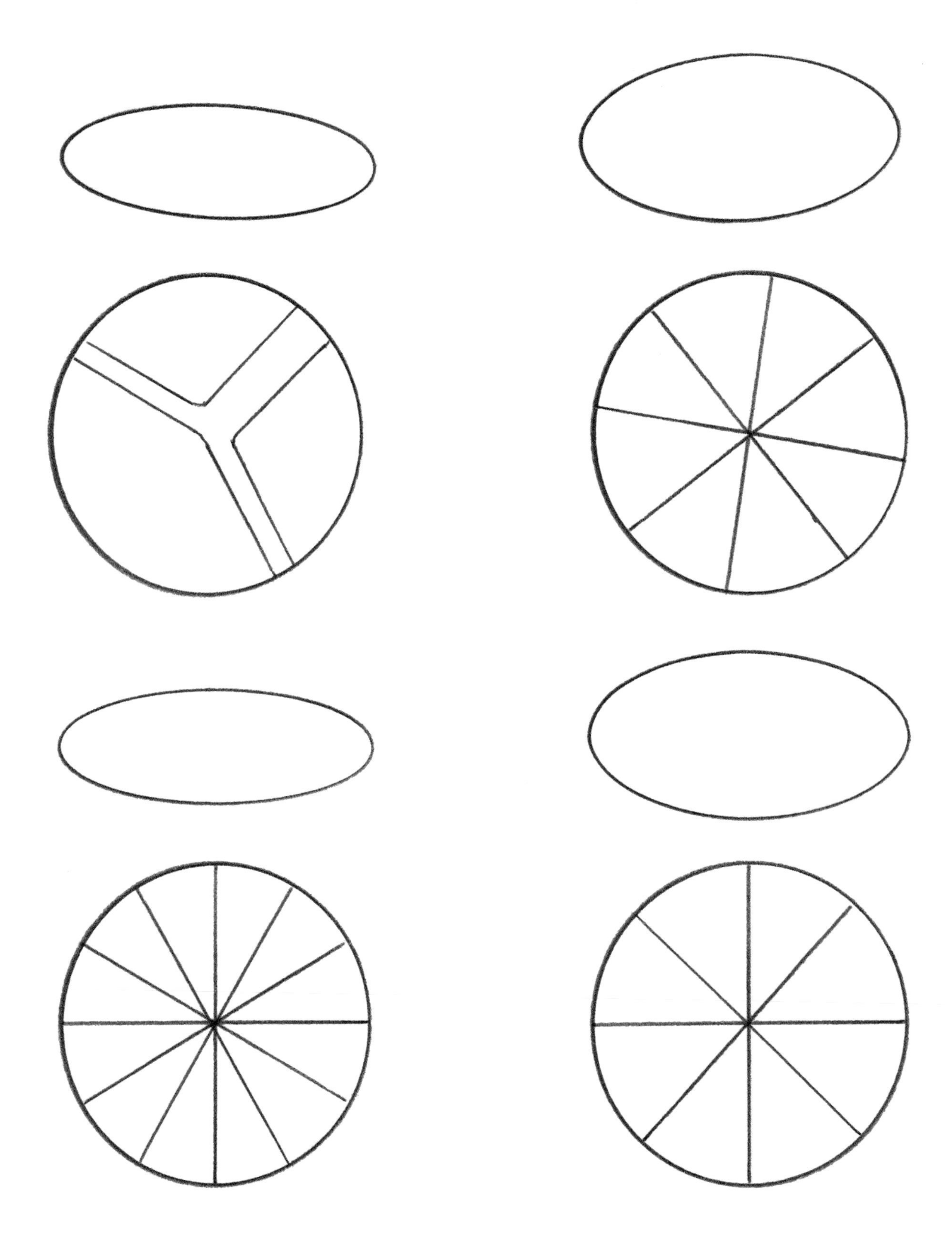

Cannelures

Nous pouvons élargir notre traitement de rayons à d'autres objets. Imaginez-vous que vous dessiniez une colonne cannelée. Supposons que l'une des extrémités de la colonne aux seize cannelures ou gorges ait l'apparence de celle que nous avons ici.

Si nous regardons la colonne de côté, nous n'avons besoin que de dessiner seize «rayons» dans le cercle au-dessus de la colonne et de tirer des lignes verticales pour représenter l'emplacement des cannelures.

Ce faisant, vous pouvez procéder avec l'imagination que vous voulez. Si vous ne voulez pas seulement projeter l'emplacement des cannelures mais aussi leurs largeurs sur la colonne, alors marquez les «rayons» dans votre cercle de telle sorte qu'ils aient une épaisseur appropriée et projetez aussi le double de lignes verticales vers le bas (**ci-dessous, à droite**).

Vous constaterez que les largeurs des cannelures diminuent en perspective dès qu'elles approchent des arêtes latérales de la colonne. Remarquez aussi que vous obtenez forcément les bonnes largeurs des contre-fiches si vous écartez les cannelures. En effet, les rayons de votre cercle peuvent tout aussi bien former les cannelures que les contre-fiches, c'est à vous de choisir. La contre-fiche de l'un est la cannelure de l'autre.

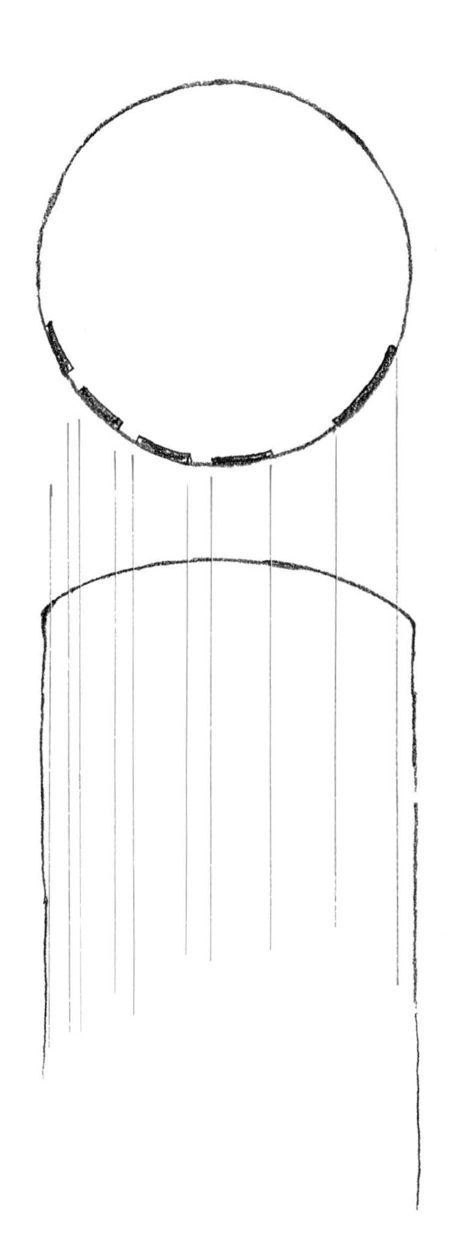

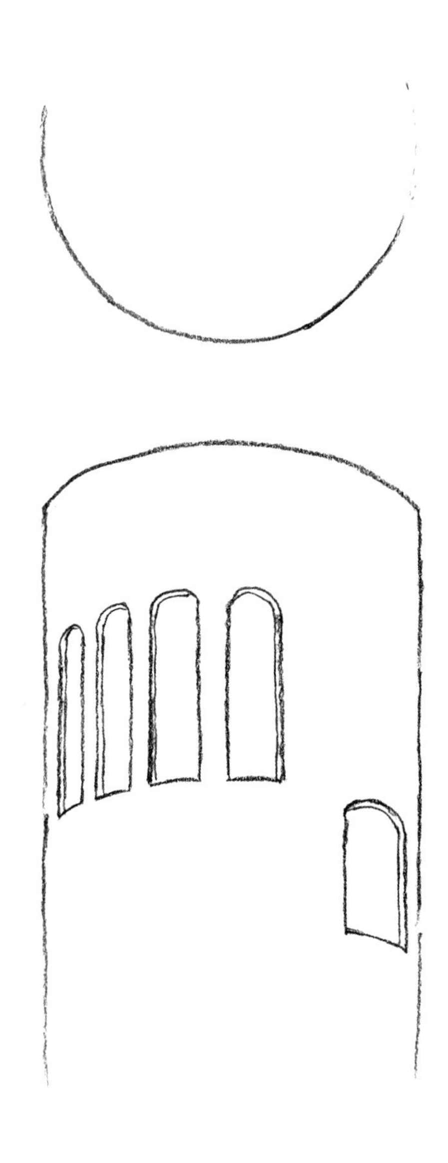

Une tour ronde

La même méthode de construction nous rend capables de dessiner une tour ronde dotée de fenêtres. Commencez par le contour de votre tour et par le cercle de dessus (ou de dessous, selon ce qui vous semble le plus pratique; **à gauche**). Le diamètre du cercle est l'épaisseur de la tour.

Faites des tranches sur le cercle comme sur un gâteau qui représentent les largeurs des fenêtres. Naturellement, les fenêtres peuvent ne pas avoir la même largeur que les intervalles. De même, les fenêtres n'ont pas besoin d'avoir une grandeur semblable, d'être distribuées régulièrement ou même d'être à la même hauteur. Prenons cinq fenêtres dont la position et la grandeur sont comme dans l'illustration **centrale**. Tirez maintenant des lignes de construction verticales comme vous l'avez déjà fait dans la roue aux rayons.

Introduisez maintenant les fenêtres à la hauteur convenable. Disons que s'il s'agit de fenêtres d'arc en plein cintre avec des corniches droites, elles auront à peu près la même apparence que sur le dessin de **droite**.

Dans cette esquisse, vous avez la coupole d'un bâtiment dont la base est circulaire. Entre la coupole et la base, il doit y avoir treize colonnes. Placez les treize colonnes à l'aide de la méthode de projection. Commencez comme toujours à partager un cercle en treize sections égales que vous projetterez sur une ellipse. Vous pouvez obtenir les largeurs des colonnes soit en commençant par des gros rayons épais dans votre cercle (c'est la manière la plus exacte), soit en ajoutant les largeurs adéquates après avoir placé les colonnes.

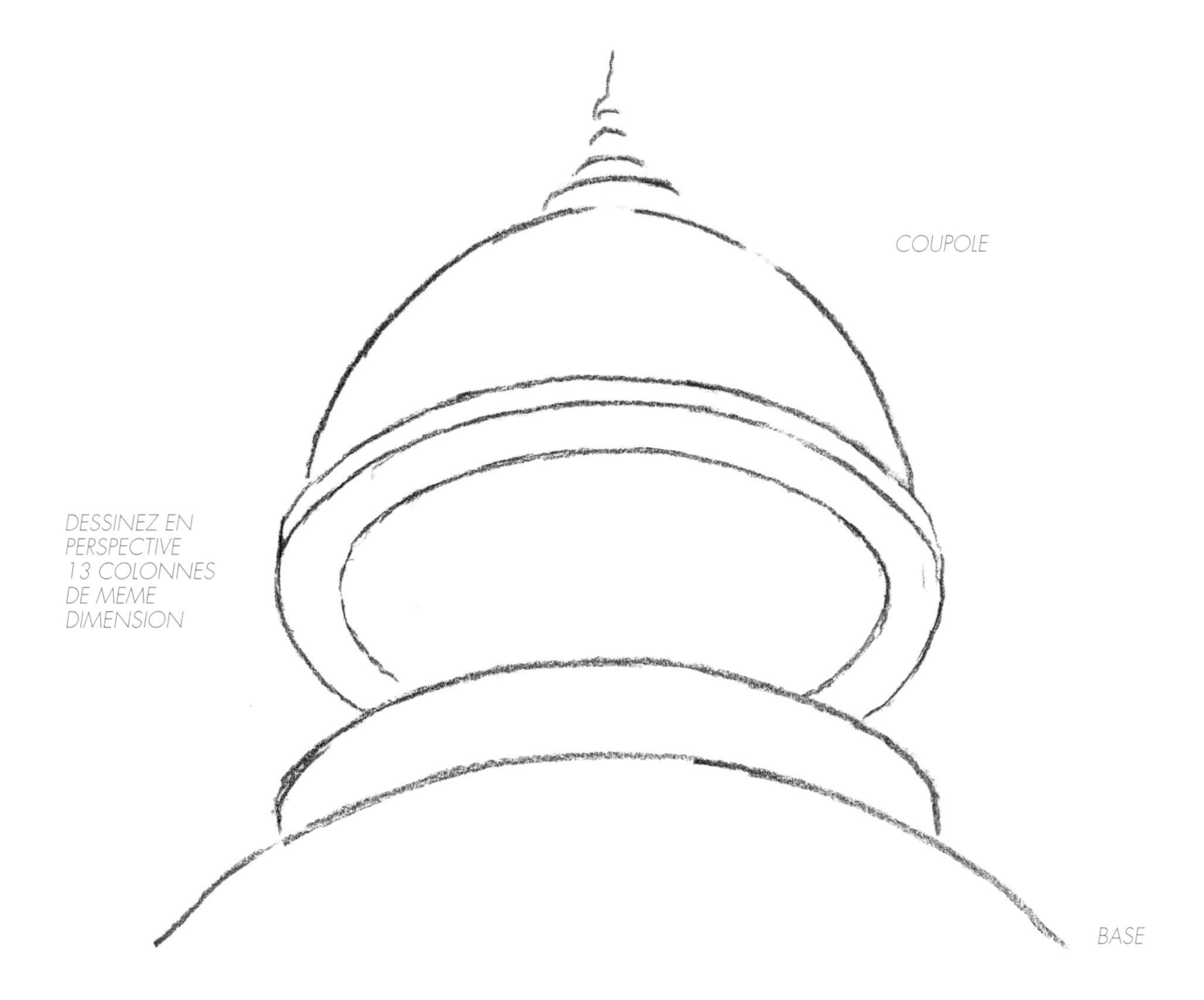

Quelques mises en application

La méthode de construction que nous avons traitée dans le chapitre précédent vous aidera à dessiner de nombreux objets ronds, y compris de grands motifs tels des monuments et des coupoles géantes. Mais certains objets ne sont pas ronds et semblent soulever des problèmes de dessin analogues.

Nous commençons ici **à gauche** et nous verrons comme cela peut être simple de dessiner des figures plus compliquées.

Ecrous

Pensons en petites dimensions. Qu'en est-il du dessin de vis ou d'écrous? Vous trouverez sûrement un simple écrou chez vous, quelque part. Il semble difficile à

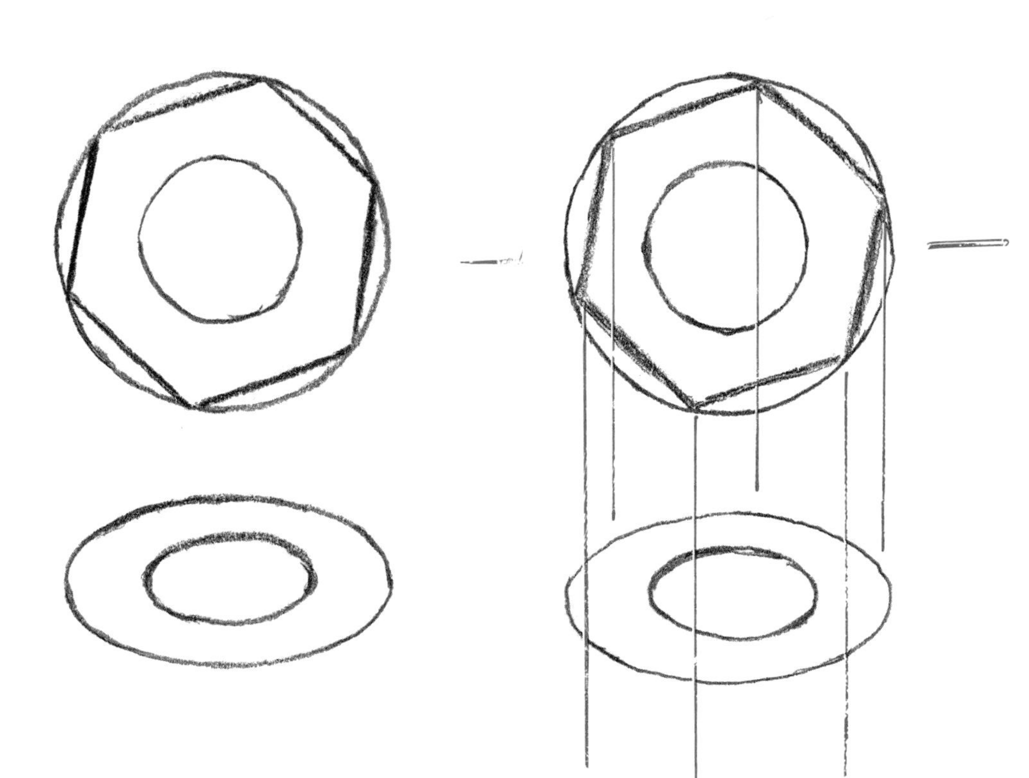

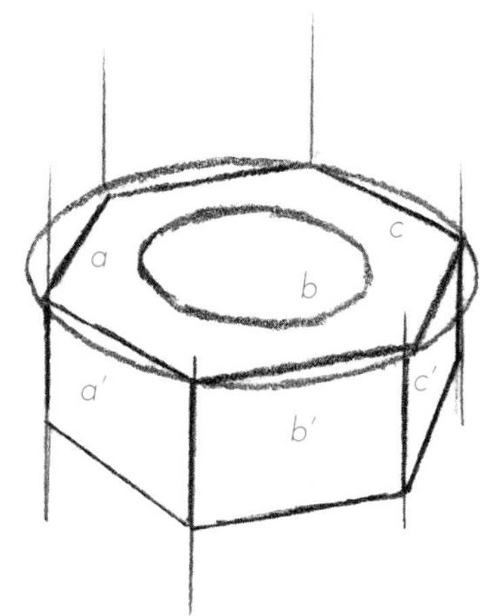

dessiner, mais nous pouvons le représenter grâce à notre méthode des rayons. L'écrou qui me sert de modèle est hexagonal. Tout d'abord, tracez un cercle dont le diamètre représente l'écrou en sa largeur la plus grande et dessinez l'écrou dans le cercle dans la position que vous voulez. Puis dessinez une ellipse en dessous du cercle. Faites l'ellipse aussi large ou étroite que vous voulez pour obtenir la force souhaitée de la perspective. Tracez une plus petite ellipse avec le même centre perspectif pour le trou de l'écrou. Faites descendre des lignes de construction verticales. Fixez les points ou les arêtes de l'écrou là où ces lignes coupent l'ellipse.

Reliez maintenant les points et prolongez alors les arêtes verticales de l'écrou vers le bas aussi longtemps que vous le pensez nécessaire pour la représentation de l'épaisseur de l'écrou. Tirez d'un trait fin la ligne a', parallèlement à a, b' parallèlement à b et c' parallèlement à c. C'est à peu près correct, mais pas tout à fait. Remarquez bien que nous voyons cet objet en perspective. Il résulte donc que des paires de lignes comme par exemple a' et a dont nous savons dans cet objet précis qu'elles sont parallèles ne le sont plus au moment où l'objet est vu en perspective. Toutes ces paires de lignes vont se rejoindre en points de fuite. Ces trois points de fuite seront au niveau de vos yeux. Comme si souvent, vous n'avez pas besoin de dessiner des lignes qui se rejoignent mais seulement d'incliner a', b' et c' en les faisant monter juste un peu plus haut que leurs pendants a, b et c.

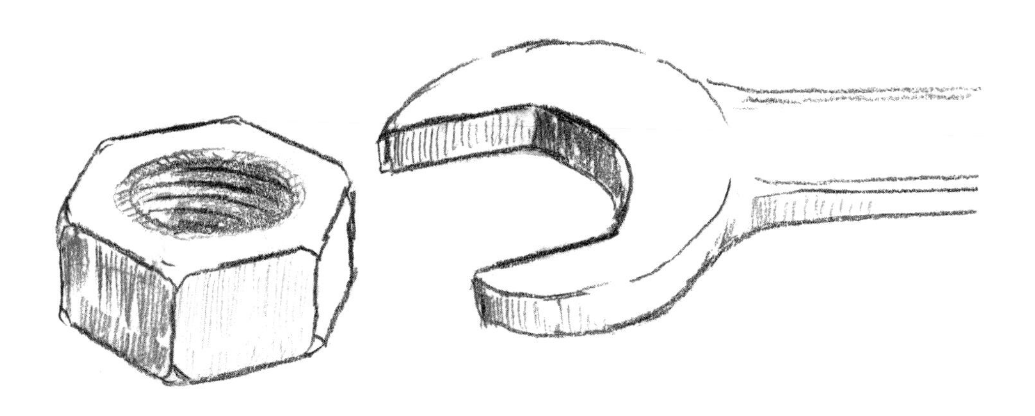

Finalement, mettez-vous à la tâche agréable de donner le dernier coup de crayon à votre dessin (**à gauche, en bas**).

Minaret

Ce minaret est un exemple semblable à celui de l'écrou (**ci-dessous**). La construction de base est octogonale. Peu importe le nombre de côtés qu'un objet peut avoir si sa coupe transversale peut être inscrite dans un cercle, la méthode des rayons et des cannelures vous aidera à le dessiner. Les figures commentées suivantes décrivent le processus pour le dessiner. Il peut paraître compliqué au premier abord, mais si vous le suivez phase par phase, vous verrez que même des formes compliquées peuvent être presque tout aussi simples que l'écrou que nous venons de dessiner. Pour changer un peu, j'ai mis cette figure sous un autre angle dans les dessins de construction. Quoi que vous fassiez, ne vous laissez pas trop emballer par la construction. Certaines phases, que je présente dans l'un ou l'autre exemple, ne sont là que pour faire prendre la bonne direction à votre flux de pensée. En général, vous n'avez besoin que d'un minimum de construction qui vous permet de repérer les arêtes critiques, et, à partir de là, vous pouvez vous fier à votre sens du dessin.

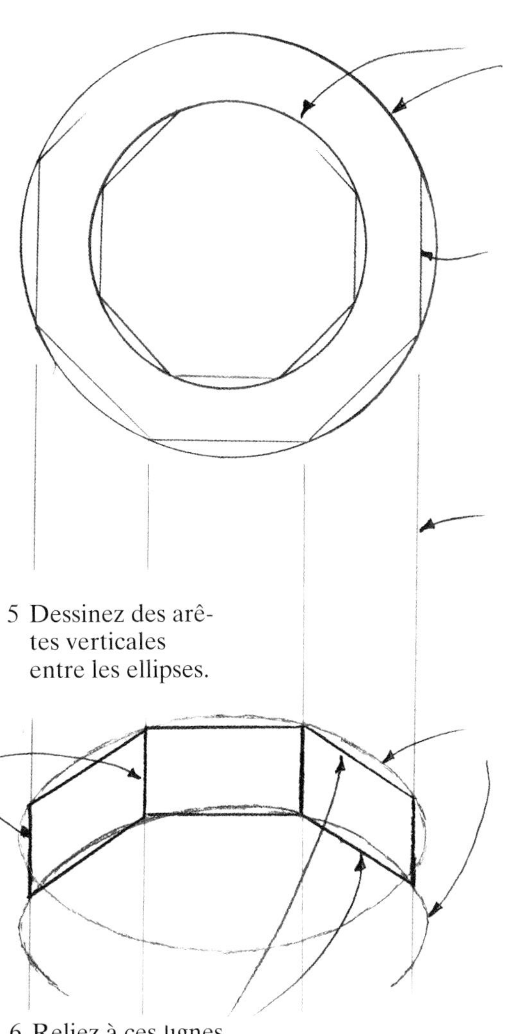

1 Tracez des cercles dont les diamètres sont les mêmes que la largeur de la tour dans les coupes différentes.

2 Tracez des octogones dans les cercles.

3 Projetez des lignes vers le bas qui servent à repérer les arêtes.

4 Esquissez des ellipses avec le degré de perspective que vous désirez. Faites-les aussi étroites ou semblables à un cercle que vous voulez.

5 Dessinez des arêtes verticales entre les ellipses.

6 Reliez à ces lignes les arêtes verticales en haut et en bas.

7 Reprenez haleine.

Quelques mises en application

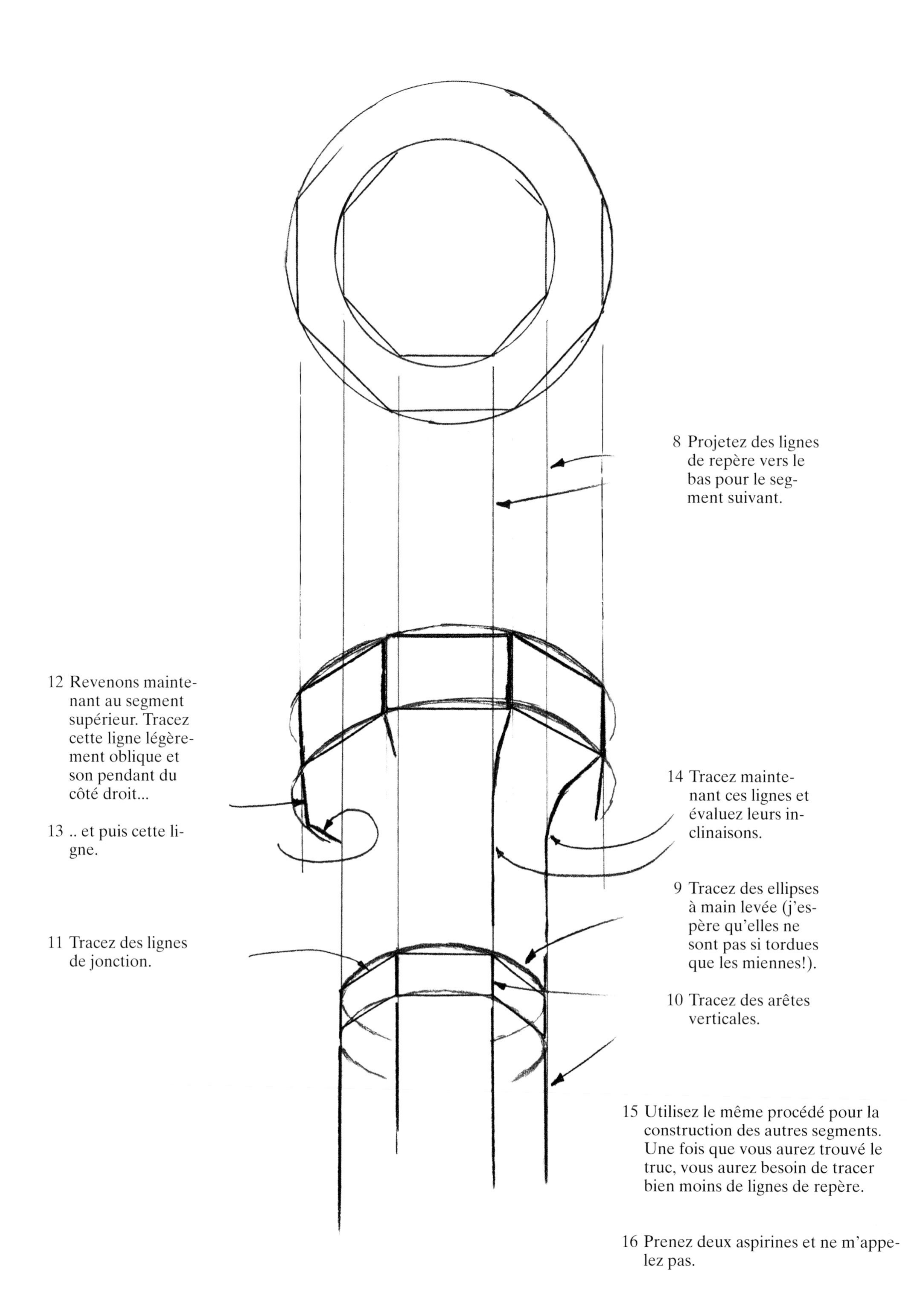

Plus précis qu'une simple évaluation

Parfois, nous nous occupons d'objets qui exigent une précision plus grande que celle qu'offre l'évaluation superficielle ou la méthode du pouce et du crayon. Voici une méthode pour trouver comment des objets de hauteur égale à intervalles égaux deviennent de plus en plus petits et ont des intervalles de plus en plus étroits, quand la distance augmente.

Objets debout

Supposons que vous dessiniez une rangée toute droite de poteaux qui s'étendent dans une région plane. Tous les poteaux seraient d'égale hauteur et auraient les mêmes intervalles entre eux. Comment procéderiez-vous?

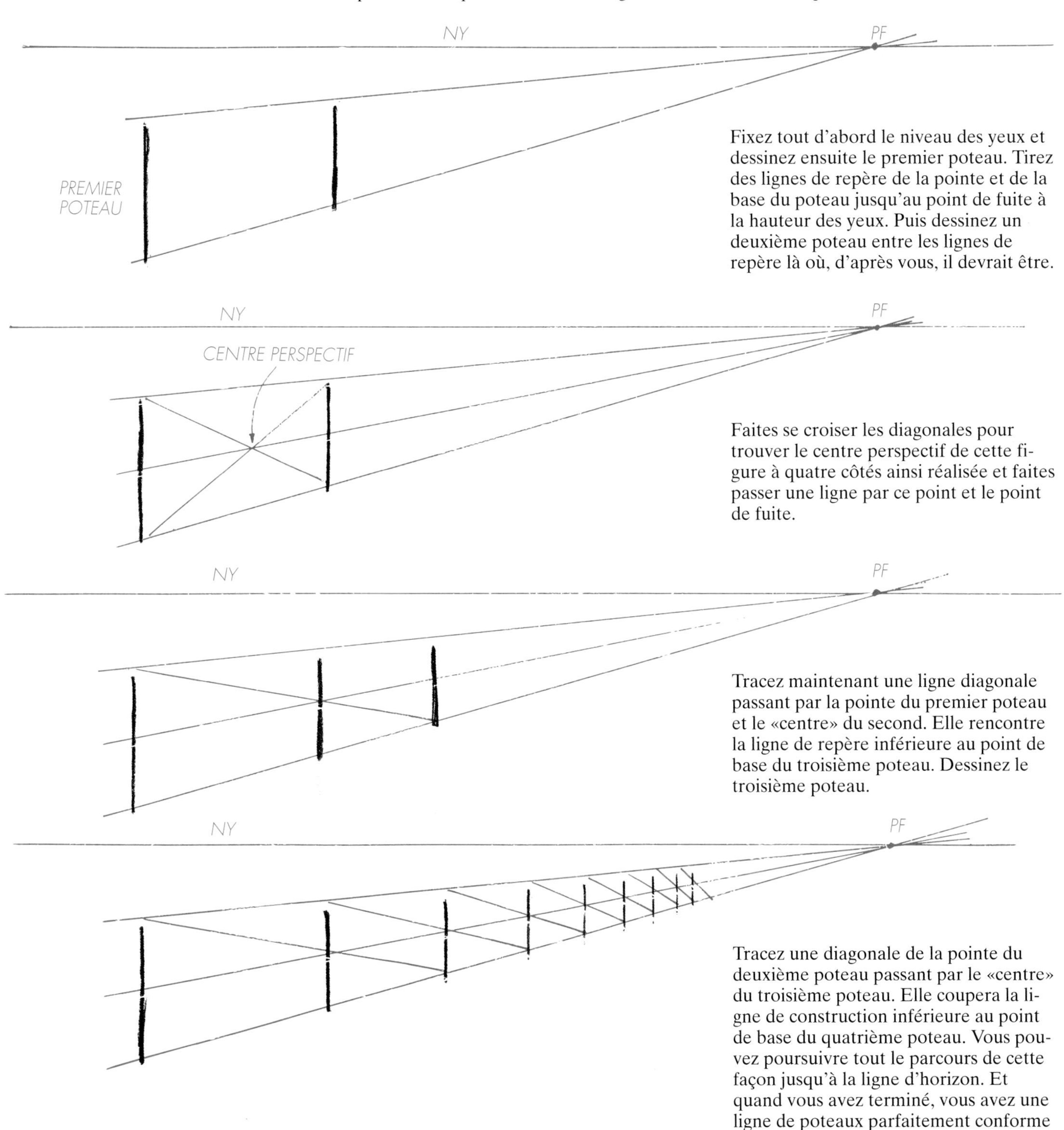

Fixez tout d'abord le niveau des yeux et dessinez ensuite le premier poteau. Tirez des lignes de repère de la pointe et de la base du poteau jusqu'au point de fuite à la hauteur des yeux. Puis dessinez un deuxième poteau entre les lignes de repère là où, d'après vous, il devrait être.

Faites se croiser les diagonales pour trouver le centre perspectif de cette figure à quatre côtés ainsi réalisée et faites passer une ligne par ce point et le point de fuite.

Tracez maintenant une ligne diagonale passant par la pointe du premier poteau et le «centre» du second. Elle rencontre la ligne de repère inférieure au point de base du troisième poteau. Dessinez le troisième poteau.

Tracez une diagonale de la pointe du deuxième poteau passant par le «centre» du troisième poteau. Elle coupera la ligne de construction inférieure au point de base du quatrième poteau. Vous pouvez poursuivre tout le parcours de cette façon jusqu'à la ligne d'horizon. Et quand vous avez terminé, vous avez une ligne de poteaux parfaitement conforme aux règles.

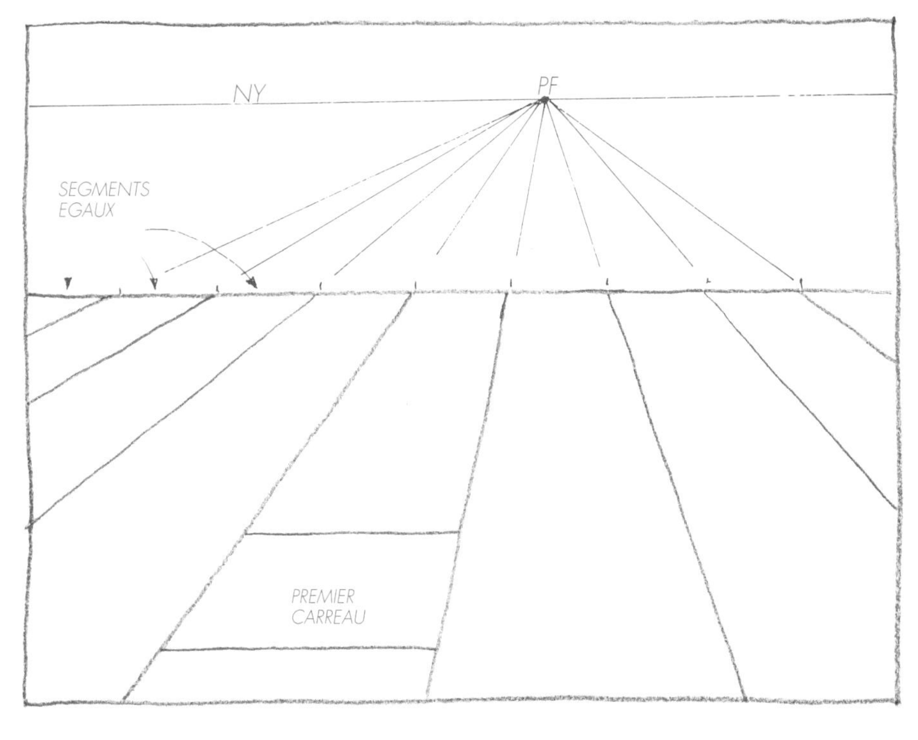

Un carrelage

Un carrelage serait peut-être un exemple un peu plus approprié. Nous le plaçons parfois dans des dessins d'intérieur ou dans des natures mortes et, quand il n'est pas réussi, qu'il est trop ou pas assez oblique, il gâche le dessin.

Admettons que vous dessiniez un carrelage doté d'un point de fuite comme celui-ci. Vous avez choisi votre position un peu à droite du milieu (mais cela pourrait être aussi le centre ou à gauche de celui-ci).

Nous commencerons par dessiner ce sol dans la perspective linéaire à un point. Le point de fuite sera directement devant vous, bien sûr, au niveau des yeux.

La raison pour laquelle on a choisi la perspective à un point est la suivante: si vous étiez trop près d'un objet (admettons que vous vous trouviez directement sur ce carrelage), un deuxième point de fuite serait tellement à droite ou à gauche de vous que les lignes qui se dirigent vers ce point de fuite n'auraient presqu'aucune pente. En d'autres termes, on peut concevoir la perspective à un point comme une perspective à deux points dans laquelle un des points de fuite se trouverait quelque part vers Mars. Il suffit en pratique que les rainures des carreaux passent de droite à gauche au travers du motif, parallèlement à la surface du dessin. Si le sol était assez grand, c'est-à-dire s'il s'éloignait suffisamment de l'observateur, une perspective à deux points visible se présenterait. Un exemple viendra éclairer ceci plus tard.

Comme vous le voyez dans l'esquisse de **gauche**, j'ai tracé les lignes qui représentent les rangées longitudinales des carreaux (cela pourrait être ici des planches épaisses de vestibule). Comment vous y prenez-vous pour qu'elles s'étalent bien en éventail? La solution la plus simple et suffisamment précise est de porter des segments égaux sur la ligne où le sol heurte le mur. Tracez ensuite les lignes qui passent par ces points et le point de fuite.

Puis choisissez une paire de lignes horizontales près de vous et reportez-les pour marquer votre premier carreau. C'est le même cas ici que pour les deux premiers poteaux dans l'exemple précédent; une fois que vous les avez placés, tout le reste sera assez mécanique.

Dessinez directement sur cette esquisse et suivez-moi dans les phases restantes.

Déterminez le point central du carreau à l'aide du croisement des diagonales et tracez une ligne de construction qui passe par ce point et par le PF.

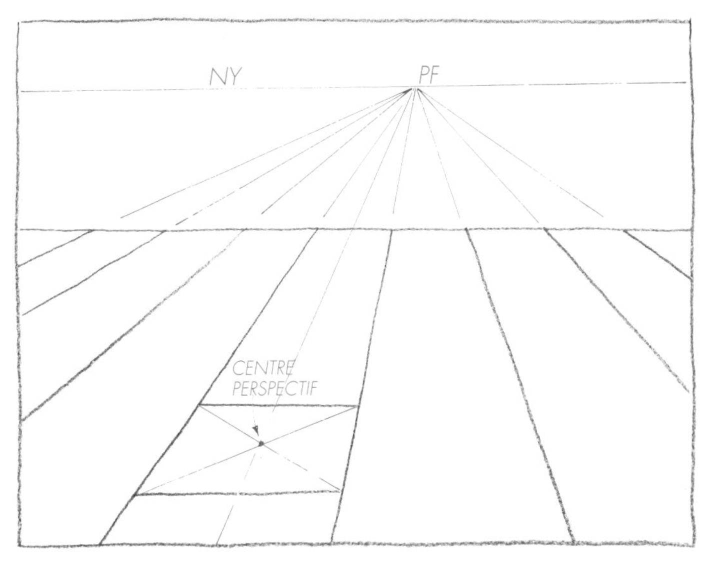

Tracez une ligne qui va du coin du premier carreau en passant par «le point central» de l'arête du dernier carreau. Tracez alors la ligne horizontale b, là où cette ligne coupe la ligne a.

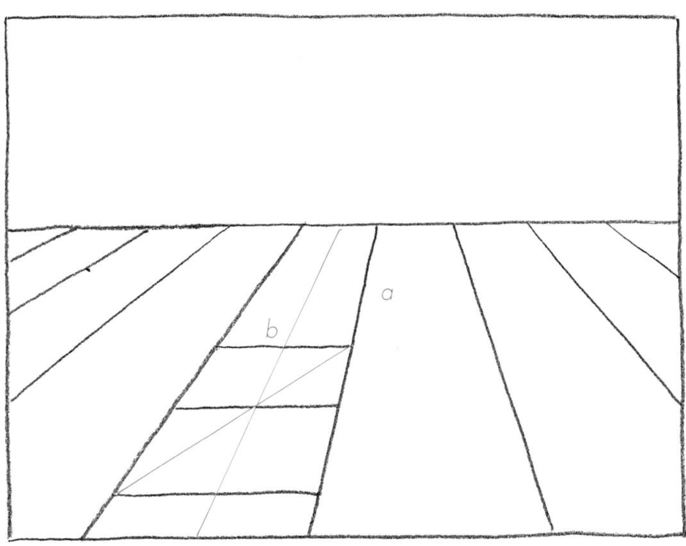

Répétez ce processus jusqu'à ce que vous soyez arrivé au mur du fond. Si le dernier carreau n'atterrit pas exactement contre le mur du fond, déplacez un peu le mur. Personne n'ira cafarder.

Plus précis qu'une simple évaluation

Complétez le sol. Comme on vous le montre ici, vous pouvez prolonger les lignes horizontales sur la gauche et sur la droite.

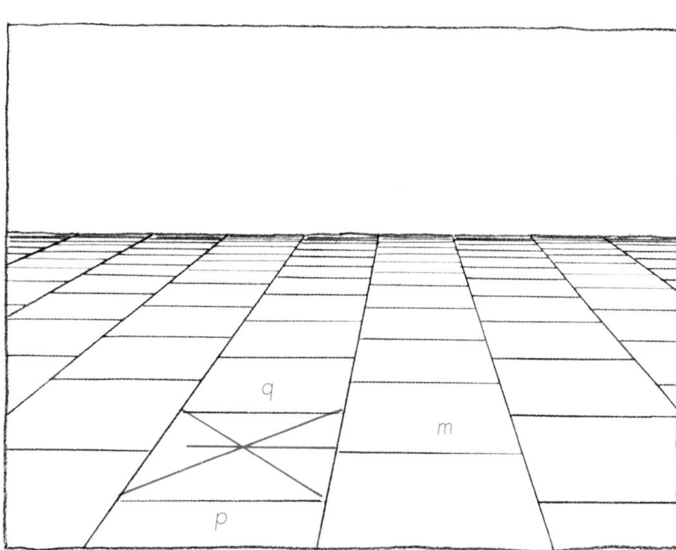

Mais vous pouvez aussi ne tirer ces lignes qu'en quinconce sur les rangées de carreaux (si votre plancher a des rainures disposées en quinconce) et tirer un autre système de lignes horizontales pour les rangées de carreaux qui se trouvent entre elles.

Observez que la ligne m n'est pas le centre de p et q – en tout cas pas dans la ligne droite. C'est en perspective qu'elle est au milieu de p et q. Entrecroisez les diagonales du carreau carré en perspective pour trouver tout de suite ce point central en perspective.

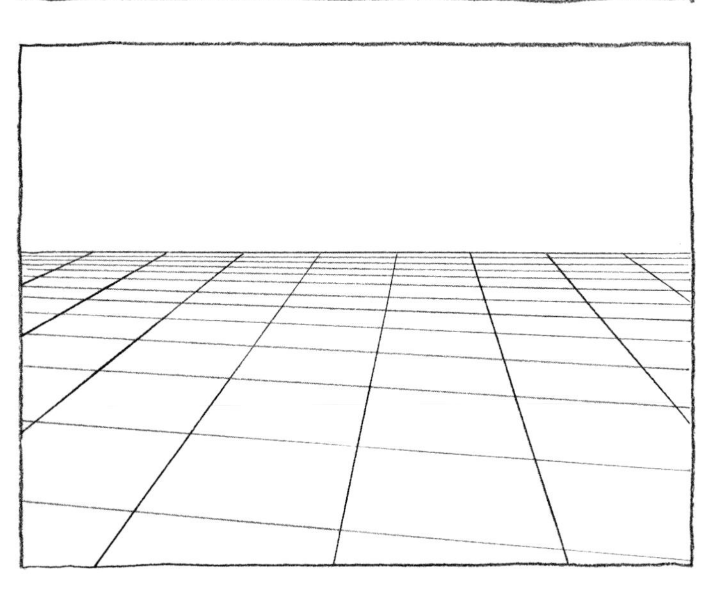

Il y a peu de temps, j'ai dit que vous en viendriez à utiliser à l'occasion la perspective à deux points. Faites tout exactement de la même façon à l'exception près que vous inclinez les deux premières arêtes du carreau en direction d'un deuxième point de fuite (très loin à gauche dans mon exemple **ci-contre**) au lieu de les placer en lignes horizontales. Si vous donnez une forte pente à ces lignes, vous remarquerez que votre plancher donne l'impression de descendre et de glisser du bord inférieur du dessin.

Exercice 7/ **Répartir régulièrement des objets en perspective**

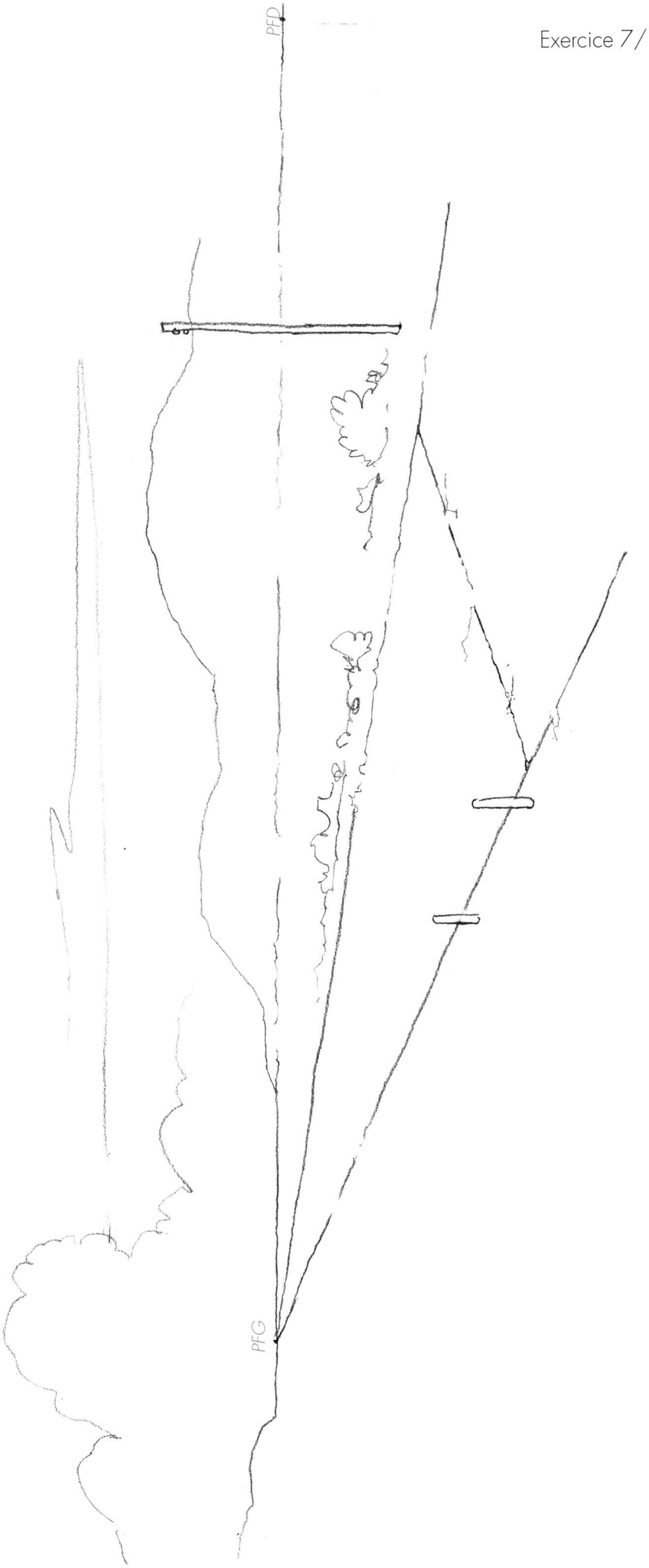

Voici une route de campagne droite dotée de poteaux électriques d'un côté et de palis de l'autre. La route se compose de deux segments en béton d'égale grandeur. Dessinez les autres palis, poteaux et segments. Les parties qui sont en béton peuvent être dessinées grâce à la méthode se trouvant dans le chapitre sur le carrelage. J'ai mis un deuxième poteau comme point de départ à votre disposition; décidez vous-même de l'intervalle entre les poteaux et de la longueur des parties en béton. Vous voyez que j'ai marqué les deux points de fuite sur la ligne d'horizon.

Bien placer des personnes

Peut-être penserez-vous que les gens peuvent être traités dans les dessins de la même façon que tout autre objet et, dans une certaine mesure, c'est vrai. Pourtant, c'est parce que nous observons constamment les gens que nous avons une représentation bien ancrée et inconsciente de l'apparence qu'ils doivent avoir et toutes les libertés que nous prenons en dessinant des gens dans un motif sautent souvent aux yeux. Nous pouvons, certes, manipuler la grandeur, la forme ou l'emplacement d'une grange et s'en sortir sans trop de problèmes, mais si nous prenons un peu trop de ces libertés quant aux personnes, alors le résultat est par trop évident. Voici quelques pensées générales sur la façon d'incorporer des personnes dans un motif en ayant une perspective correcte.

Echelle

Il est important d'ordonner les personnes de telle sorte qu'elles apparaissent à l'échelle de leur entourage. Le gars, **en haut, à droite**, a l'air de vouloir entourer le poteau télégraphique de ses bras.

Mais, en vérité, il attend seulement que sa petite amie lui tombe dans les bras (**en bas, à droite**).

Dans ce dessin, il y a deux choses incorrectes. Premièrement, le personnage masculin est placé maladroitement près du poteau; deuxièmement, ou il est joliment grand ou le poteau est terriblement court; il y a quelque chose ici qui ne va pas dans l'échelle ou dans les proportions des deux objets.

On peut supprimer la première difficulté en mettant plus d'espace entre l'homme et le poteau. Malgré cela, vous pouvez reprendre mon deuxième argument et dire que le poteau est dans le lointain et que c'est pour cela qu'il paraît si court. Mais si le poteau était assez loin pour en expliquer la hauteur, il serait trop gros; à cette distance, il devrait paraître plus mince. Il ne peut être, en aucun cas, aussi gros qu'un homme. Même un homme maigre comme un clou grossit quand il est amoureux!

La manière la plus simple d'éviter de mal placer les personnages est de comparer leur taille par rapport à d'autres objets qui sont dans la même profondeur de dessin qu'eux. Partez du principe que la plupart des gens font entre un mètre cinquante et un mètre quatre-vingt. Puis vérifiez la grandeur des choses quotidiennes: le plafond de nombreuses pièces est à deux mètres quarante de haut, une porte normale fait environ deux mètres, une table de cuisine, environ quatre-vingts centimètres de haut etc. Fixez à votre gré la hauteur d'un objet et déterminez la grandeur de tous les autres objets (y compris des personnes) par rapport à l'objet qui vous a servi de point de départ.

Si vous voulez fixer dans un dessin des personnes différentes, par exemple des adultes et des enfants, vous devez vous appuyer sur autre chose que sur la grandeur pour rendre évident ce dont il s'agit. Si les vêtements et les proportions d'un personnage indiquent sans doute un enfant, alors ce personnage n'aura pas l'air maladroit à côté d'un personnage plus grand ressemblant manifestement à un adulte.

Le niveau des yeux

Que vous dessiniez des granges, des gens ou les deux – le point primordial est le niveau des yeux que vous fixez dans votre dessin. Une fois que vous avez déterminé le niveau des yeux par rapport auquel votre motif doit être peint, tous les objets de votre dessin (y compris les personnes) doivent se rapporter à ce niveau des yeux. Passons en revue quelques exemples de motifs représentant des personnes.

Tout d'abord nous voulons croire que votre motif se trouve dans une région plane comme une plage, sur une grande place en ville ou pratiquement n'importe où dans un pays plat. Imaginez-vous que vous êtes devant le chevalet quand vous peignez le motif. Si vous êtes une personne «moyenne», vos yeux se trouvent, approximativement, à un mètre et demi du sol si bien que le niveau des yeux fait un mètre et demi dans votre dessin. Le niveau des yeux de toutes les autres personnes de taille moyenne sera tout aussi élevé dans votre dessin. En d'autres termes: toutes les personnes de taille moyenne dans le motif ont le même niveau des yeux, c'est-à-dire, un mètre et demi au-dessus du sol, comme on peut le voir **ci-dessus**.

Qu'en est-il de la demi-portion à gauche? Ce personnage est sans doute un enfant et non pas un adulte à grande distance. Comment le savons-nous? Parce que tous les adultes debout ont le même niveau des yeux dans une région plate donnée. Ce petit bout d'homme ne peut être en aucun cas un adulte normal et avoir le niveau de ses yeux à la même hauteur que tous les autres.

Une rangée de personnes qui se perd dans le lointain dans un région plate obéit tout autant aux lois de la perspective que les piquets d'une barrière ou que les poteaux qui se trouvent le long d'une route.

Si vous tirez donc, dans l'esquisse, des lignes de repère de la tête et des pieds de chaque personnage qui vont vers le point de fuite que vous voulez, au niveau des yeux, vous pouvez ajouter entre ces deux lignes de repère autant d'autres personnages que vous voulez et cela concordera toujours.

J'ai tracé deux lignes de repère (**ci-dessous**). Ajoutez-en quelques autres. Puis esquissez quelques personnes (de celles qui ont un niveau des yeux à un mètre et demi) où vous voulez, entre ces lignes de repère et cela marchera tout de suite. Essayez. N'oubliez pas non plus de faire les personnages les plus éloignés naturellement moins en détail et en traits moins appuyés que les personnes à proximité, en fonction des techniques de perspective que nous avons déjà traitées.

Admettons que vous vouliez prendre plus d'enfants dans ce motif. Pensez qu'ils se trouvent en deçà de votre niveau des yeux. Si un enfant est aussi loin dans la scène qu'un adulte, ils auront de commun non pas le niveau des yeux mais le niveau des pieds. Si un enfant et un adulte sont à côté l'un de l'autre, leurs pieds seront à la même hauteur (à moins que l'un d'entre eux ne plane au-dessus du sol). Commencez donc par les pieds et dessinez l'enfant de bas en haut, en débutant par les pieds.

Bien placer les personnes

Alignez la grandeur des enfants sur celle d'autres personnes à proximité. Après avoir placé un enfant là où vous le voulez, vous pouvez en ajouter d'autres à une distance plus ou moins grande en perspective si vous tirez une paire de lignes de repère de la tête et des pieds de l'enfant concerné jusqu'à un point de fuite, comme nous l'avons fait pour les adultes. Ajoutez alors entre ces lignes de repère autant d'enfants que vous le désirez et, en un clin d'œil, vous avez une ribambelle d'enfants de la même taille dans la bonne perspective.

Si vous avez envie de faire encore plus d'exercice avec cette esquisse, tirez alors des lignes de repère à partir de la tête et des pieds de l'enfant qui vont vers un point de fuite au niveau des yeux et dessinez quelques enfants entre ces lignes de repère.

Prenons le cas d'une scène que vous représentez et dont le sol serait inégal. On pourrait y voir là, comme dans mon esquisse, quelques personnes dont les yeux se trouvent au niveau des yeux du dessin, d'autres au-dessus et d'autres à nouveau en dessous. Hormis une observation exacte, vous devez construire votre dessin sur des techniques comme celles-ci:

- Changement de dimension: laissez apparaître une différence de taille plausible entre les personnes proches et celles qui sont loin; mesurez leurs dimensions relatives au pouce et au crayon.
- Détail: apportez moins de détails aux personnages qui sont plus éloignés. Comparez les personnages sur la dune à celui qui porte le panier.
- Chevauchement: plusieurs personnages ont les pieds «coupés» parce que la colline les chevauche. Optiquement, cela repousse les personnages en profondeur, derrière la colline.
- Échelle: adoptez une échelle de mesure dans laquelle vous mettez des personnages à côté de choses dont les dimensions sont comprises en général par la plupart des observateurs, comme par exemple le parasol à droite de l'esquisse.
- Points de repère optiques: donnez des indications à l'observateur. Si, par exemple, un personnage doit être en dessous du niveau des yeux, alors donnez quelques points de repère pour le contrôler. Dans l'esquisse, le personnage qui porte le panier et le parasol est en dessous du niveau des yeux (de la ligne d'horizon sur la mer au loin) et je n'ai pas seulement essayé de mettre cela en évidence par sa position mais par de petites allusions. Vous regardez un peu dans le panier qu'il porte et vous voyez son chapeau du dessus et non pas de dessous.

Ombres

Dans plusieurs chapitres des deux manuels, nous avons traité l'importance des ombres pour renforcer l'impression de profondeur dans le dessin. Dans le 1er chapitre du manuel 1, nous avons parlé par exemple de la sorte d'ombre qui met l'épaisseur d'un objet en évidence en évoquant la profondeur. Vous souvenez-vous du dessin de la pomme? Tout d'abord, j'avais représenté une pomme comme un contour plat sans épaisseur ou profondeur visible. Mais dès que j'ai mis de l'ombre sur le côté de la pomme détourné de la lumière, elle n'est pas restée plate mais est devenue un objet à trois dimensions. Ce type d'ombre apparaissant sur le côté d'un objet et se trouvant en face de la source lumineuse est appelé en général modelé.

J'ai introduit, plus tard, une autre sorte d'ombre, nommée ombre portée. Une ombre portée est la partie d'une surface quelconque qui est plus sombre que le domaine environnant parce que la lumière est bloquée et ne peut pas l'atteindre.

Pour en revenir encore une fois à la pomme, on a là les deux sortes d'ombre: l'ombre sur la moitié de la pomme qui se trouve en face de la source lumineuse (modelé) ainsi que l'ombre jetée par la pomme sur le plateau de la table parce qu'elle barre la lumière (ombre portée). Nous savons intuitivement que l'ombre portée que nous voyons ne pourrait pas être présente s'il n'y avait pas là un objet d'une certaine épaisseur qui bloque la lumière. Ainsi, les deux sortes d'ombre favorisent la naissance de l'impression de profondeur d'une manière indirecte, mais décisive: en suggérant l'épaisseur ou ce que l'on appelle la troisième dimension d'un objet.

Les ombres, et surtout les ombres portées contribuent d'une autre façon encore à produire l'impression de profondeur et ce, en indiquant à l'observateur des contours et des épaisseurs qu'il ne pourrait pas voir sinon. C'est pourquoi j'ai mentionné précédemment dans ce manuel l'importance de tels détails comme l'épaisseur des briques ou le chevauchement dans les revêtements en bois des maisons. Souvent, il faut attribuer aux ombres portées le fait que l'observateur perçoive de tels détails. Les ombres portées aident à définir des formes parce qu'elles doivent suivre – partout où elles tombent – les contours des surfaces dans lesquelles elles tombent.

C'est parce que les ombres peuvent aider à obtenir une profondeur dans le dessin qu'il est important de comprendre ce qui se cache derrière. Les passages suivants sont là pour apporter quelque «lumière» dans les ombres.

Les ombres ne sont pas des reflets

Souvent, on confond ombres et reflets. Une ombre est une zone qui reçoit moins de lumière que d'autres parce que quelque chose empêche la lumière de passer; un reflet est une réverbération visible de la lumière d'un objet, lumière rejetée de la surface et parvenant à notre œil.

Dans l'esquisse **supérieure**, la source lumineuse (le soleil), se trouve en haut, à gauche. Ses rayons vont partout, excepté dans le secteur que cache le piquet. Cette zone est l'ombre du piquet. Le reflet visible dans l'eau est causé par la lumière venant du piquet, qui rencontre la surface de l'eau miroitante, monte, et est perçue par l'œil de l'observateur. Si nous changeons la source lumineuse de place et que nous la mettions par exemple derrière le piquet, la place de l'ombre serait certes modifiée mais le reflet resterait le même (**ci-dessous**).

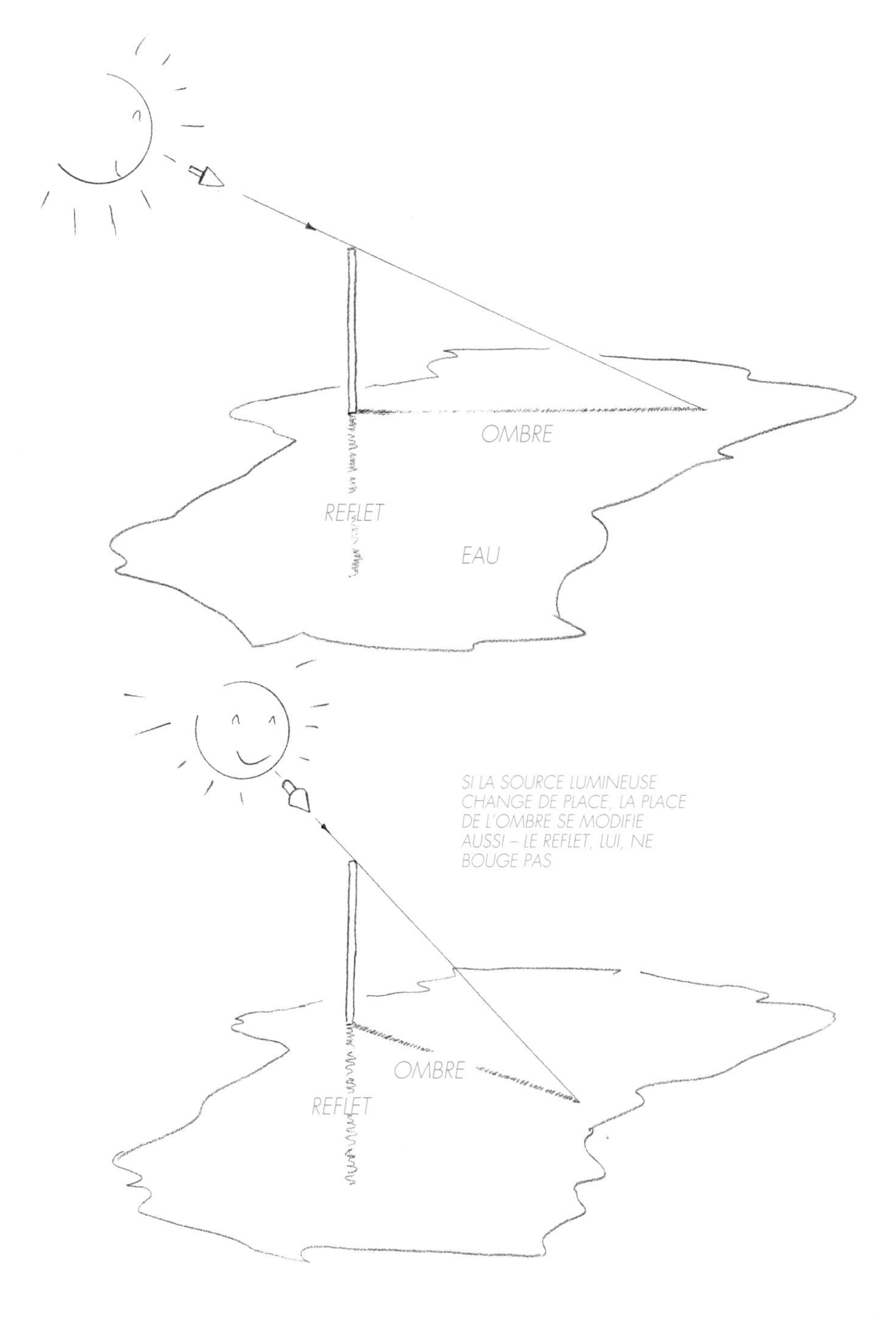

Ombres

Des ombres multiples face à des ombres uniques

Si vous avez une seule source lumineuse, vous obtenez une seule ombre: avec deux sources lumineuses, vous obtenez deux ombres (**au centre**). Théoriquement, on peut vraiment avoir autant d'ombres que de sources lumineuses. Néanmoins, tout ne se passe pas tout à fait ainsi en réalité, parce que la surface sur laquelle les ombres sont jetées est finalement si éclairée par la lumière de toutes ces sources qu'aucune ombre n'est plus reconnaissable. Pourtant, il est tout à fait habituel de disposer de deux, trois ou quatre sources. Quand on peint par exemple une nature morte en intérieur, on peut être en présence de la lumière de la fenêtre (lumière du soleil) et celle de plusieurs lampes. Dans des cas comme ceux-là, il est important de décider si a) on veut avoir d'elle plusieurs sources lumineuses et plusieurs ombres ou b) une source lumineuse et une ombre. La première solution est la plus naturelle et rendra votre motif plus familier; la dernière solution lui confère une expression plutôt dramatique. L'un des effets produit par plusieurs sources lumineuses consiste à éclaircir des ombres parce que la lumière de chaque source pénètre dans l'ombre engendrée par l'autre source. Le deuxième effet est que les bords des ombres seront moins accentués. Notez dans l'esquisse **ci-dessus** que la zone dans laquelle les deux ombres se chevauchent est plus sombre que le reste de l'ombre. Cela vient du fait qu'aucune source ne permet à la lumière de parvenir jusqu'à ce secteur. Alors que je recontrôlais mes propres connaissances sur les ombres et que je jouais avec les lumières à ma table, je tombai sur quelque chose que j'avais presque oublié: une seule source lumineuse peut produire une ombre multiple. Voici l'agencement (**ci-dessous**) que j'ai devant moi. J'obtiens deux ombres: une ombre intérieure plus foncée et une ombre extérieure plus claire. Voici ce qui se passe: l'ampoule est bien une source lumineuse et ses rayons lumineux en eux-mêmes pourraient me donner une ombre unique; cependant, l'abat-jour autour de l'ampoule reflète aussi des rayons lumineux. Une partie de la lumière de l'abat-jour parvient au bloc provenant d'un angle plus important que les rayons de l'ampoule. Ces rayons font le tour du bloc et tombent dans la zone d'ombre en soi en éclaircissant cette zone, là où ils apparaissent.

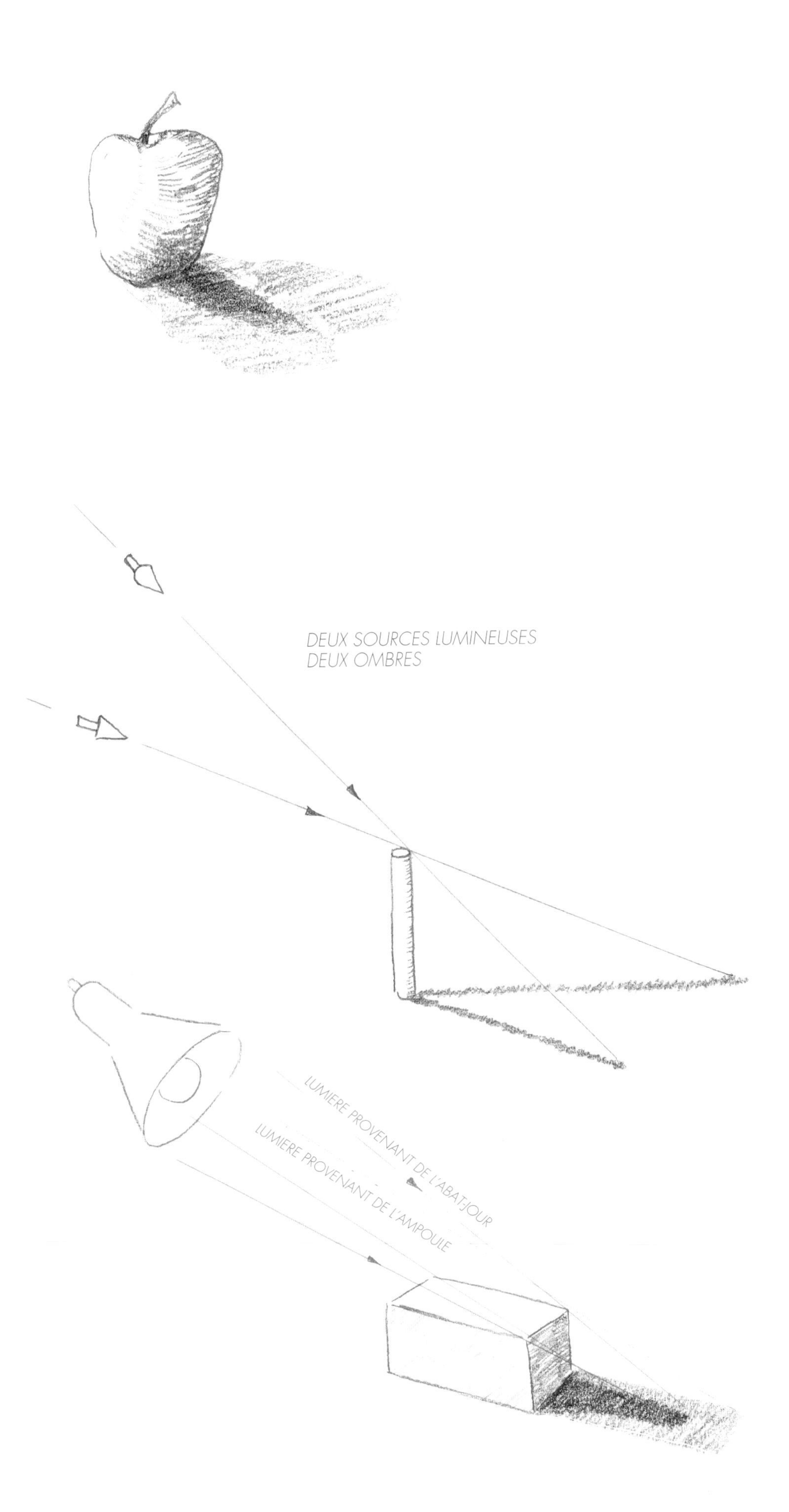

Contour des ombres

Quelquefois, il est difficile de se représenter sous quelle forme l'ombre d'un objet particulier sera jetée sur une surface donnée. On obtiendra sûrement une ombre correcte et parfaite en photographiant l'objet au moment où l'ombre est là où on voudrait bien l'avoir. Que le soleil continue de tourner ou que quelqu'un change votre lampe de place, vous pouvez toujours vous orienter à la photo. Ce n'est pas de la tricherie mais de l'intelligence. Quand il n'y a plus rien à faire, je m'en remets à la méthode de «la pièce obscure et de la lampe de poche». Elle est patentée mais je vous en fais part tout de même. Montez quelque chose qui soit, en gros, semblable à ce que vous voulez clarifier: obscurcissez la pièce et utilisez une lampe de poche en guise de «soleil». Il est évident que tout ceci est inutile si vous travaillez à une nature morte. Vous regardez simplement la nature morte et voyez comment les ombres se comportent.

Supposons par exemple que vous voulez voir comment les ombres sont faites, ombres que jette un arbre sur un mur de briques aux rainures profondes. Cela semble simple je sais, mais comment est portée l'ombre maintenant quand elle donne dans les rainures profondes? Pouvez-vous répondre tout de suite à cette question sans avoir fait d'essais au préalable?

Cherchez quelques gros livres et quelques livres minces et empilez-les. Les livres épais sont les briques et les minces, les rainures de mortier. Éteignez maintenant la lumière (pas de sottises s'il vous plaît!), tenez la lampe de poche derrière une baguette ou une règle qui tient lieu d'arbre et vous aurez une réponse immédiate à votre question (**ci-dessous**). Du reste, la lampe de poche provoque la même difficulté que la lampe que j'ai examinée précédemment. Son réflecteur produit plusieurs ombres. Reculez le plus que vous pouvez pour la placer le plus loin possible derrière la baguette et obtenir ainsi des ombres plus accentuées.

L'intérieur de l'ombre

Regardez dans n'importe quelle ombre. Que voyez-vous? Sûrement pas la noirceur absolue dont on se sert souvent pour dessiner les ombres. Regardez une zone ombrée avec attention et vous remarquerez que beaucoup de choses s'y passent. La première chose qui vous frappe peut-être est la riche coloration. Quelle que soit la couleur apparaissant dans l'objet ombragé, elle sera plus intense que si l'ombre manquait, car vous la voyez bien, relativement à toute cette noirceur. Puis, vous remarquerez que vous pouvez découvrir un très grand nombre de détails dans l'ombre, des détails qui peuvent se perdre en plein soleil ou être éclipsés. Une autre constatation générale est que l'ombre n'est en aucun cas régulière dans sa noirceur, dans la valeur.

Enfin, vous devriez faire attention à l'aspect des bords des ombres. Des ombres jetées dans la lumière du soleil ont tendance à être accusées puisque le soleil est une source lumineuse unique sans abat-jour gênant . Toutefois, les bords que vous observez à l'air libre dans les ombres ne sont pas toujours accusés. Les bords sont moins nets quand l'ombre tombe sur une surface quelque peu structurée comme une pelouse ou un pré, tout au contraire d'une rue en béton lisse. Ils peuvent être aussi délavés par une lumière forte qui, à partir d'objets proches comme des bâtiments très blancs, réfléchit dans l'ombre. Si vous faites des ombres trop figées et trop nettes sur les bords, elles paraîtront comme collées dessus et artificielles.

Les ombres obéissent à la loi

Dans la plupart des cas, les ombres que nous dessinons sont des figures assez irrégulières qui ont été jetées par des objets irréguliers sur des surfaces irrégulières. C'est pourquoi, il est préférable d'étudier les formes des ombres et de les dessiner comme vous les percevez. Mais pour vous faciliter la compréhension des formes irrégulières que vous avez observées, nous voulons examiner ce qui se passe dans un agencement simplifié tel que celui qui se trouve **tout en bas**.

Nous avons un cube régulier dans une perspective à un point qui jette une ombre régulière sur une surface plane. Notez ce faisant que les bords de telles ombres sont soumis aux règles de la perspective. C'est ainsi que dans ce cas par exemple, le bord extérieur de l'ombre se dirige vers le même point de fuite que les arêtes du cube.

Dans l'exemple suivant (**en bas, à droite**), l'ombre de la boule serait circulaire si on pouvait la voir directement d'en haut. Mais, vu de côté et d'après ce que nous connaissons de la perspective, ce cercle est une ellipse.

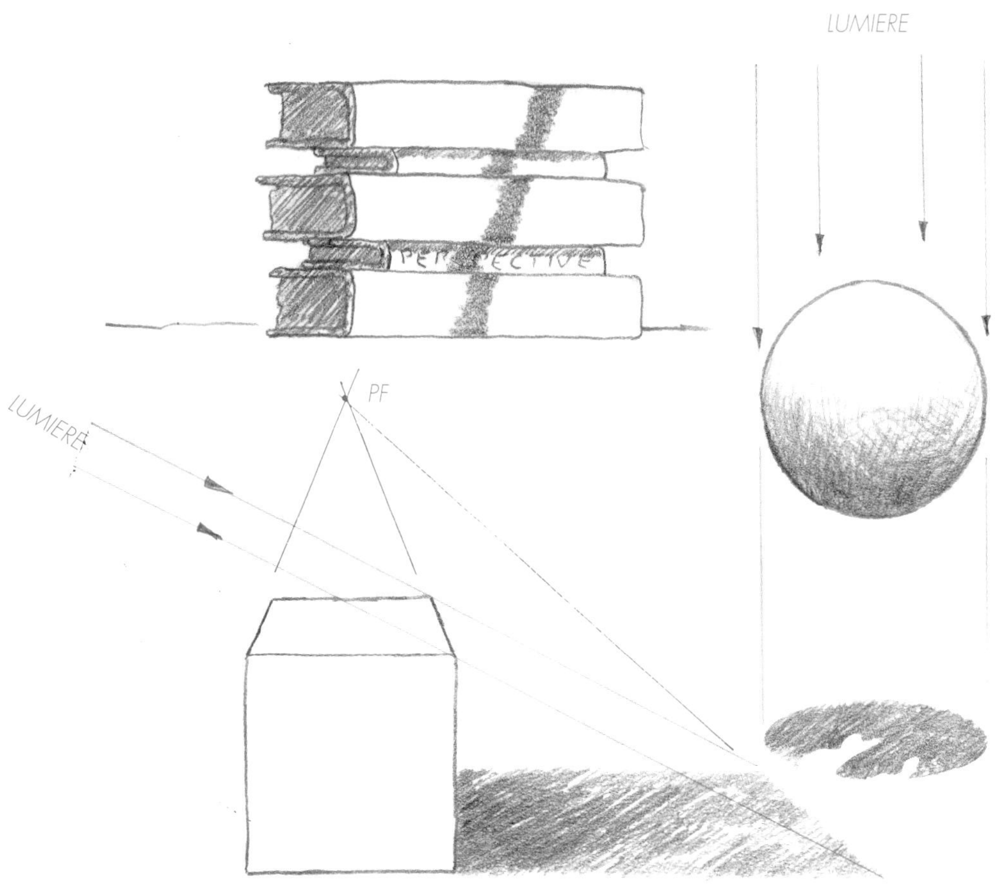

Exercice 7/**Ombres**

Jouons dans l'obscurité. Vous avez besoin d'une lampe de poche, de quelques livres et d'un morceau de papier fort ou de carton fin. L'exercice consiste à simuler dans votre bureau quelques conditions dont vous n'êtes pas sûr à propos des ombres.

a) Empilez trois gros livres et autant de plus minces alternativement les uns sur les autres en laissant saillir les gros sur les minces. Grâce à votre lampe de poche et une règle, jetez des ombres sur cette «coulisse de briques» à gauche, à droite et devant. Retenez l'apparence de ces ombres quand elles sautent par-dessus les «rainures de mortier». Faites aussi descendre et monter la lampe de poche et observez ce que cela donne comme effet, en particulier sur les ombres qui sont jetées par les arêtes des «briques».

b) Recommencez a, cette fois avec des «rainures de mortier» en saillie. Regardez bien les ombres quand elles tombent sur une «rainure de mortier» bombée.

c) Pliez un morceau de papier fort ou de carton fin en forme de revêtement de mur en bois. Jetez de l'ombre sur le revêtement en mettant la lampe de poche et la règle dans de nombreuses positions. Enfoncez un petit clou à moitié dans le «revêtement du mur» et regardez avec attention les ombres ainsi portées. Prenez ensuite un clou tordu et observez comment son ombre se déforme.

d) Cette fois, vous pouvez remettre la lumière dans la pièce. Étalez une série de matériaux de différentes valeurs et de qualités de surfaces variées comme par exemple, une bande de papier blanc et souple, une bande de papier noir ou gris, une serviette de toilette. Prenez votre lampe de poche et jetez de l'ombre sur tous ces objets en même temps. Observez tous les différents contrastes de l'ombre quand celle-ci passe sur chaque objet en particulier ainsi que la précision de la bordure d'ombre sur le matériau lisse ou structuré. Pour éviter les ombres «doubles» que vous livre la lampe de poche, coupez un trou rond de deux centimètres de diamètre dans un morceau de carton et tenez-le devant la lampe de poche pour que ne passe que la lumière venant directement de l'ampoule.

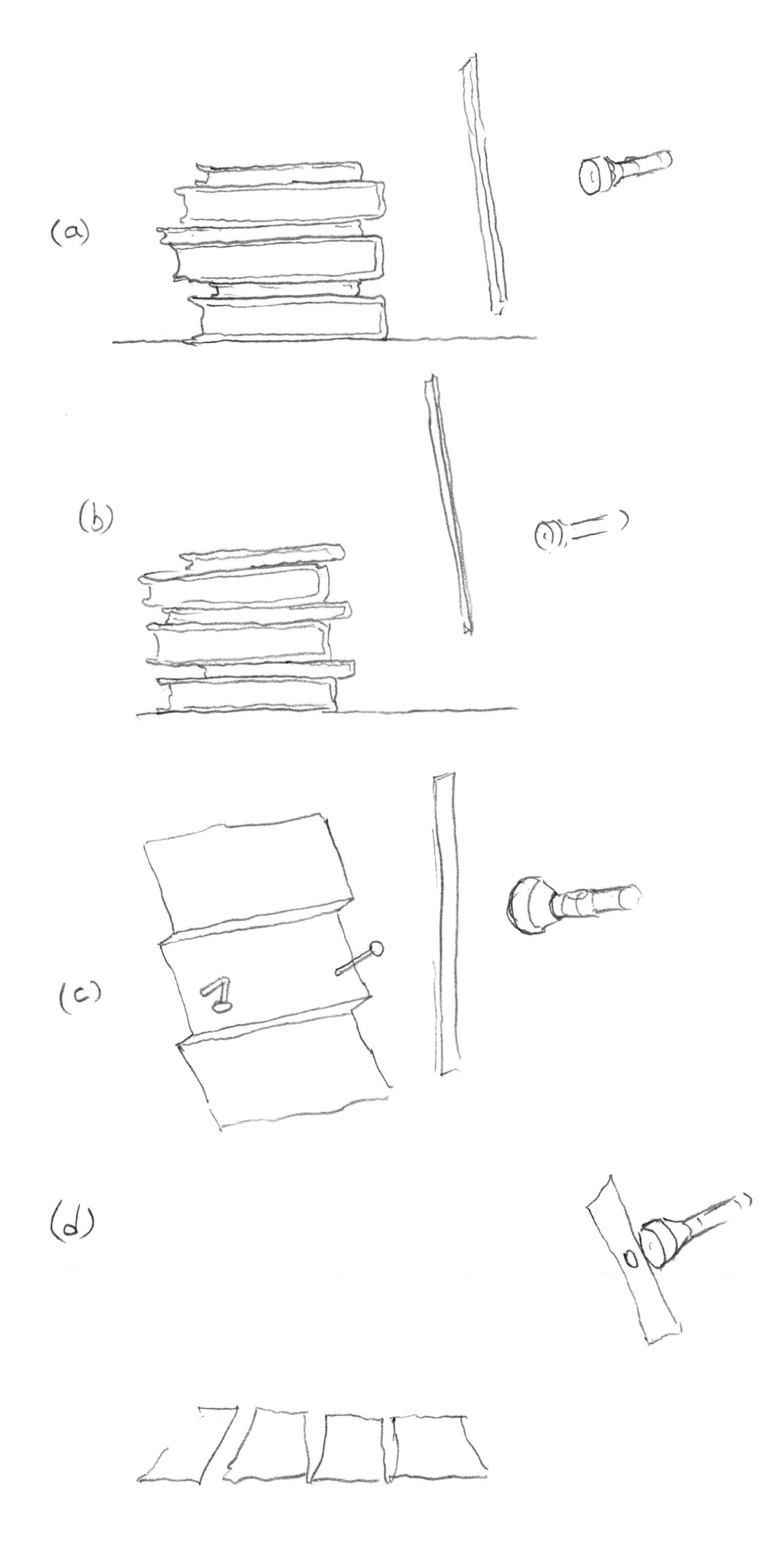

Réflexions

Nous voyons un objet parce que la lumière se diffuse de cet objet jusqu'à nos yeux. Nous voyons le reflet d'un objet parce que la lumière se répand d'un objet à une surface assez lisse et est guidée de cette surface jusqu'à nos yeux. Tout ce qui est nécessaire pour voir le reflet d'un objet est qu'il existe une surface reflétante quelconque comme par exemple l'eau qui se trouve à une distance appropriée entre vous et l'objet. Bien sûr, il doit y avoir aussi une source lumineuse qui donne la possibilité de voir au moins quelque chose, mais la position de la source lumineuse n'a rien à voir avec la position de la réflexion. Mettez la source lumineuse où vous voulez, le reflet demeure inchangé.

Il existe une loi physique qui règne sur les réflexions, mais c'est une loi simple que, même nous, peintres distraits, nous pouvons comprendre et retenir. La formule de cette loi serait la suivante:

L'angle d'incidence est égal à l'angle de réflexion.

Ou encore: Quand la lumière rencontre une surface lisse et est renvoyée, elle est alors renvoyée dans le même angle duquel elle est tombée, comme on l'a représenté **ci-dessus**. Ceci est toujours valable. Elle ne sera jamais renvoyée comme dans le dessin **central**.

Cette représentation schématique ne montre qu'un seul rayon de lumière qui provient de l'arbre. En réalité, les rayons lumineux proviennent de chaque partie individuelle et minuscule de l'arbre et ils vont dans toutes les directions. Mais les rayons qui nous intéressent ne sont que ceux qui frappent l'eau au bon endroit de telle sorte que le choc les dirige directement dans l'œil de l'observateur. D'innombrables rayons se comportent ainsi et l'observateur voit un arbre complet s'étirer sur l'eau.

Si vous êtes automobiliste, un autre exemple de la façon de se comporter des réflexions vous sera habituel. Quand vous regardez dans le rétroviseur pour voir ce qui se passe derrière vous, vous tirez profit de la loi énoncée ci-dessus. La lumière vient de tout ce qui se trouve derrière votre voiture, traverse la vitre arrière, se heurte au rétroviseur et est dirigée vers vos yeux (**ci-dessous, à gauche**).

A vrai dire, cela ne se fait que si le rétroviseur est oblique. S'il ne l'est pas, alors il faut naturellement que vous le régliez. Vous ne faites donc rien d'autre que de guider la lumière de telle sorte qu'elle puisse parvenir à vos yeux et ne soit pas détournée ailleurs. Si le rétroviseur est trop dirigé sur vous, alors la représentation de l'arrière-plan est perdue (**ci-dessous, à droite**).

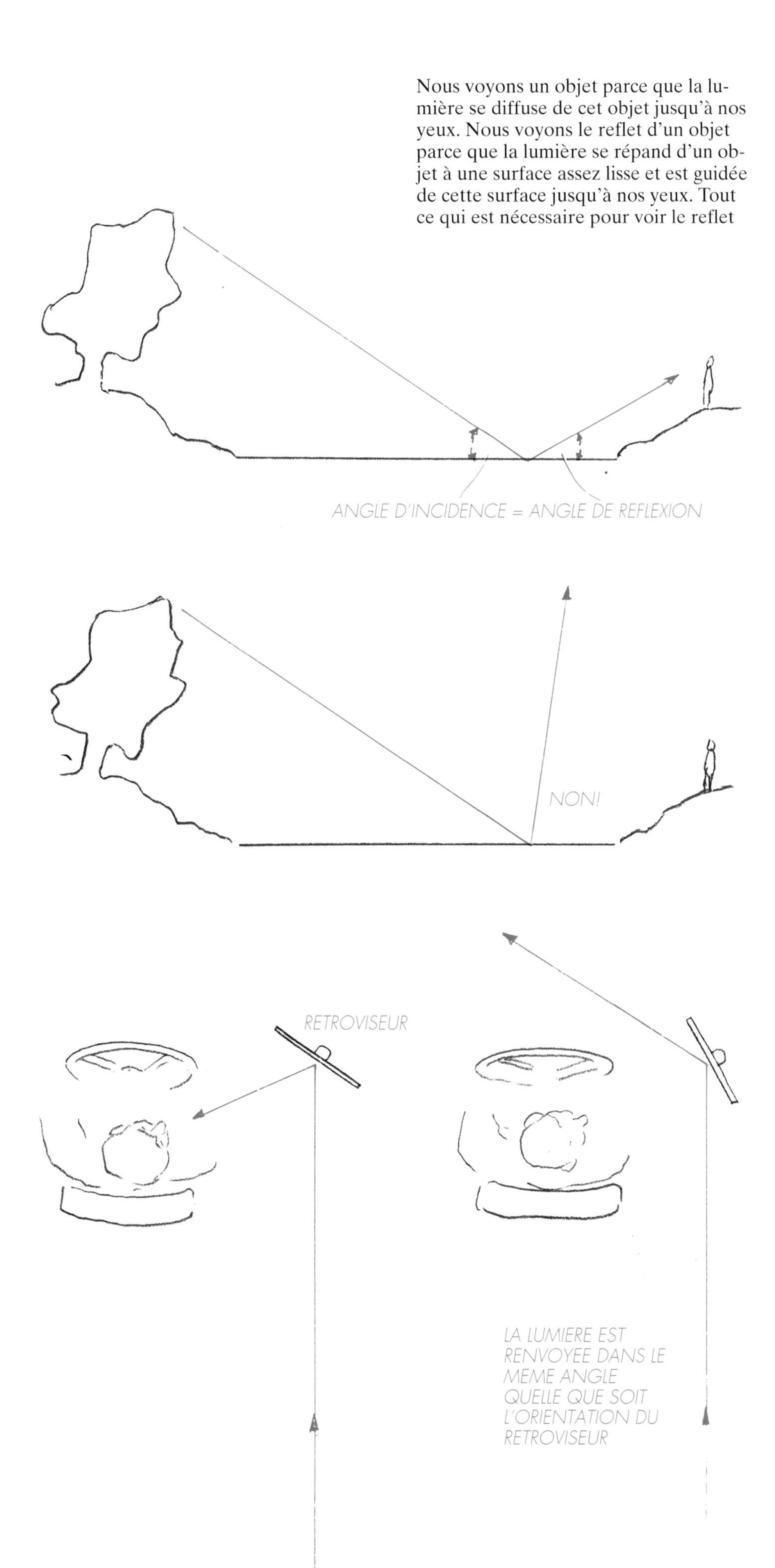

Un bon comportement

Une image reflétée dans un miroir se comporte très convenablement. Elle est toujours prévisible. Quand vous voyez la réflexion d'un objet vertical au-dessus d'un étang, il est toujours dans votre direction. Un ami à votre gauche ou à votre droite verra le même objet se refléter, mais l'image de reflet qu'il voit ira droit sur lui. Deux personnes ne verront jamais exactement la même image reflétée. C'est impossible, car celle-ci est définie finalement comme la lumière qui prend le chemin menant à vos yeux.

Quand un objet n'est pas vertical, il se passe quelques incidents importants qui sont toujours prévisibles dans le reflet. Supposons que vous voyiez un piquet solitaire émergeant de l'eau. Vous verrez l'une des réflexions que nous avons **à gauche** ou **ci-dessous, au centre** selon qu'il est vertical ou incliné.

Qu'en est-il d'un piquet qui est incliné vers vous ou qui s'éloigne de vous? Dans l'exemple précédent, la réflexion était aussi grande que le piquet. Ici, toutefois, la réflexion semble plus courte que le piquet quand celui-ci est incliné en s'éloignant de vous et plus longue quand l'inclinaison est dirigée vers vous.

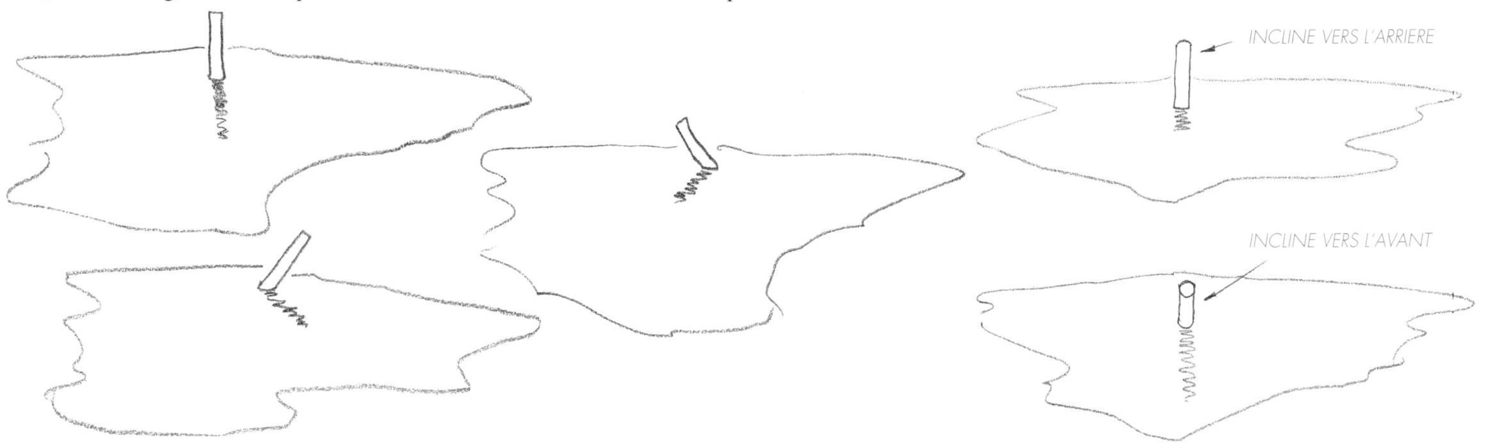

Exercice 8/**Réflexions**

Posez un miroir à plat sur la table pour imiter un étang. Il serait bon que le miroir fasse au moins cinquante centimètres au carré mais cela conviendra aussi s'il est plus petit. Si vous n'avez pas de miroir, vous pouvez vous en faire un facilement pour notre dessein en posant un morceau de plexiglass propre ou quelque chose de pareillement poli sur un fond noir mat.

a) Posez différents objets sur le bord de ce qui vous fait fonction d'étang et observez-les en regardant par-dessus l'étang. Quelque chose d'analogue à un crayon à dessin gras est très approprié. Posez tout d'abord le crayon droit et notez que l'image reflétée est à peu près aussi importante que le crayon en lui-même. Inclinez le crayon à gauche et à droite et poursuivez le chemin de la réflexion. Maintenant, inclinez le crayon vers vous et observez la proportion de la longueur du crayon par rapport à l'image reflétée. Faites la même chose avec le crayon incliné, de l'autre côté, plus loin de vous. Essayez plusieurs inclinaisons.

b) Posez le crayon verticalement sur le bord arrière du miroir. Prenez une position confortable à partir de laquelle vous pouvez voir son image reflétée. Puis ne bougez plus. Demandez à un ami de poser un petit objet (par exemple une punaise) à l'extrémité antérieure de la réflexion. Votre ami ne verra pas la même réflexion que vous et c'est pourquoi vous devez le guider pour qu'il place la punaise correctement. Une fois que vous voyez bien la punaise à l'extrémité de la réflexion, alors levez-vous, penchez-vous au-dessus du miroir et préparez-vous à avoir une surprise. Cette image reflétée que vous avez perçue comme assez courte s'étire d'une bonne longueur sur votre **étang**!

c) Posez le crayon à quelque endroit du miroir. Posez un morceau de papier blanc à côté et éteignez les lumières de la pièce. Illuminez le crayon à l'aide d'une lampe de poche de telle sorte qu'il jette une ombre sur le papier (le papier a seulement comme fonction de rendre l'ombre plus facilement reconnaissable). Déplacez la lampe de poche comme si elle était le soleil dans le ciel et observez comment changent aussi bien la direction que la longueur de l'ombre; cependant, persuadez-vous de ce que l'image reflétée ne change jamais tant que vous gardez la tête dans la même position. Cela peut être plus facile à réaliser si quelqu'un d'autre que vous change la lumière de place. Continuez à tenir la lampe de poche en mouvement et observez qu'il n'y a qu'une position dans laquelle l'image reflétée et l'ombre se retrouvent ensemble: c'est le cas quand la lampe de poche se trouve directement derrière le crayon de telle sorte que vous, la source lumineuse et le crayon, vous vous trouviez sur une ligne.

L'exercice prouve qu'il se passe exactement ce que j'ai prédit, mais il n'explique pas pourquoi. Pour comprendre ce pourquoi, il faudrait faire appel à beaucoup de géométrie, ce qui n'a pas tout à fait lieu d'être ici. En qualité de peintre, tout ce dont vous avez besoin ici est d'une bonne compréhension générale de comment et pourquoi certaines choses arrivent pour vous appuyer ensuite sur des observations qui vous permettent de résoudre des problèmes spéciaux.

Il est assez fréquent dans des peintures de paysages que les réflexions soient aussi grandes que les objets qui sont reflétés. Dans les cas où il semblerait y avoir une divergence par rapport à cette règle générale, vous pouvez avoir recours à deux possibilités pour rectifier la chose: 1) «Mesurez» toujours ce que vous avez devant vous à l'aide de la méthode du pouce et du crayon et ayez confiance en votre mesure; 2) Si vous doutez (si, par exemple, vous êtes en train d'inventer un motif au lieu de le peindre à partir de la réalité), alors placez une surface reflétante en dessous de l'objet et contrôlez ce qui se passe.

Réflexions dispersées

Je viens de vous raconter qu'habituellement, les réflexions ont la même grandeur que les objets reflétés. Il y a tout de même d'importantes exceptions à cette «règle». Avez-vous déjà réfléchi à la raison pour laquelle nous voyons s'étirer une réflexion de la lune sur des kilomètres sur l'eau? Ou pourquoi nous voyons de longues réflexions des feux arrière de voitures dans une nuit pluvieuse sur la route? Ou pourquoi nous voyons des reflets d'arbres traversant un lac entier un jour de vent?

Des objets verticaux et leurs images reflétées sont de la même grandeur quand la surface dans laquelle ils se reflètent est assez lisse, par exemple un miroir, un plateau de bureau brillant ou de l'eau calme. En revanche, la mer, la route mouillée et le lac un jour de vent ne sont jamais lisses. Ce sont des réflecteurs imparfaits. Dans ces trois cas, nous n'avons pas de surface unique, lisse et continue devant nous mais une surface qui comporte d'innombrables réflecteurs minuscules et recourbés.

Si vous pouviez considérer, par exemple, la coupe transversale d'une partie de revêtement de route, recouverte d'une pellicule de pluie, cela aurait à peu près la même apparence que le dessin **ci-dessus, à droite**.

Chacune de ces éminences minuscules du revêtement de la route qui sont recouvertes d'une mince couche d'eau (et vraisemblablement aussi d'huile) représente un miroir concave en miniature. Les rayons lumineux de l'objet, disons les feux arrière frappent tous ces minuscules miroirs concaves sous toutes sortes d'angles (**centre**).

Certains de ces rayons lumineux sont déviés. Ainsi, ils tombent sur une éminence telle qu'ils se déplacent en direction de votre œil (l'angle d'incidence est égal à l'angle de réflexion), tandis que la plupart des autres sont guidés ailleurs et se perdent. Mais l'effet est tel que tout se passe comme s'il y avait littéralement des milliers de petits miroirs qui sont répandus sur tout le chemin, des feux arrière jusqu'à vos pieds; ce faisant, chacun est bien incliné dans la bonne direction pour diriger un peu de lumière dans vos yeux.

Il se passe la même chose quand vous regardez la surface d'une eau ridée de partout. Chaque petite vague est un miroir concave possible et un grand nombre d'entre eux réussiront à refléter de la lumière dans votre direction (**cidessous**). Vous avez peut-être remarqué au cours d'une nuit de clair de lune (si vous n'étiez pas occupé à d'autres choses) que ce ne sont pas seulement ces réflexions lunaires dispersées qui viennent de très loin sur l'eau mais que des reflets occasionnellement vacillants apparaissent aux côtés du rayon principal. Ceci se passe toujours au moment où une petite vague se trouve juste au bon endroit pour diriger un rayon de lumière lunaire en direction de vos yeux.

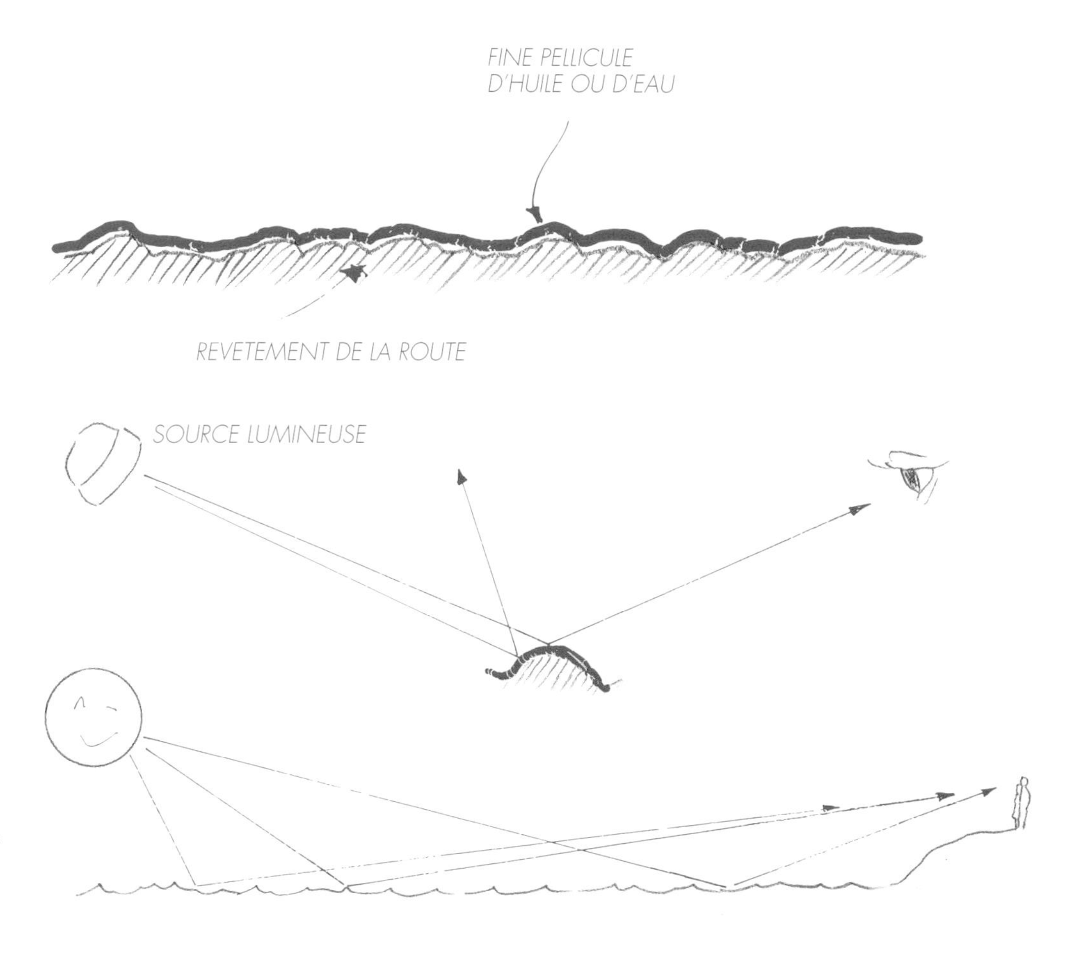

Exercice 9/ **Réflexions dispersées**

Imitons maintenant ce qui arrive aux réflexions par une nuit pluvieuse. Allumez la lampe de poche et éteignez les lumières de la pièce. Posez la lampe de poche sur le bord arrière de votre miroir, l'extrémité allumée dans votre direction. Faites comme s'il s'agissait des feux arrière d'une voiture. Le miroir est la surface de la route. Si votre miroir est à peu près propre, vous ne voyez jusque-là qu'une image reflétée claire des «feux arrière». Aspergez maintenant le miroir de quelques gouttes d'un vaporisateur rempli d'eau, de gin ou de n'importe quoi d'autre entre la lampe de poche et vous. N'aspergez pas trop et pas directement sur le miroir. Ne faites tomber les gouttelettes sur le miroir que comme de la pluie qui tombe sur la route. Les petites gouttes se comporteront comme une route rugueuse et mouillée et commenceront à disperser çà et là de petits reflets de lumière. Vous constaterez que la réflexion claire de la lampe de poche disparaît à vue d'œil et qu'une réflexion diffuse s'étire en votre direction. Continuez à asperger doucement jusqu'à ce que ce phénomène se passe. Cette imitation ne sera pas si dramatique que le procédé réel au cours d'une nuit pluvieuse, mais elle vous donne une bonne représentation de ce qui se passe à ce moment-là. La lampe de poche peut représenter la lune bien sûr et le miroir humide un lac. Vous pourriez obtenir des résutats analogues en prenant une cuvette d'eau. Demandez à quelqu'un de heurter assez la cuvette pour déranger la surface de l'eau et observez comment les réflexions de la lampe de poche sont dispersées.

Effets de distance

Tôt ou tard, vous serez confronté à la question suivante dans votre peinture de paysages: A quelle distance peut se trouver cet objet et être tout de même vu en réflexion? Est-ce que cela fait une différence par exemple dans l'esquisse **ci-dessus** de savoir si la colline est près du rivage ou loin?

Bien sûr. A une hauteur donnée de la montagne, plus vous la pousserez au loin et plus son image reflétée sera courte. Les deux variantes représentées du motif (**au centre**) sont parfaitement évidentes.

J'ai gardé en a la hauteur de la montagne mais je l'ai poussée un peu plus loin. En b, je l'ai déplacée vers l'arrière jusqu'à ce qu'elle ne se reflète plus.

Ce qui se passe en b sur la vue latérale se trouve illustrée **ci-dessous**. La lumière de la montagne ne peut pas rencontrer l'eau dans un angle tel qu'il permettrait à l'œil de l'observateur de l'atteindre.

Cela signifie pour vous, artiste, que vous pouvez vous sentir libre et que vous pouvez, à votre gré, laisser les objets se refléter ou non, en les installant simplement assez loin devant ou derrière dans le dessin. Si vous décidez que, dans mon exemple, la colline ne rend pas de réflexion, alors laissez-la simplement comme elle est et faites qu'elle représente une montagne dans le lointain. Mais n'oubliez pas de rendre l'éloignement de la montagne perceptible en utilisant des procédés adéquats de perspective comme par exemple la perspective aérienne et les contours estompés.

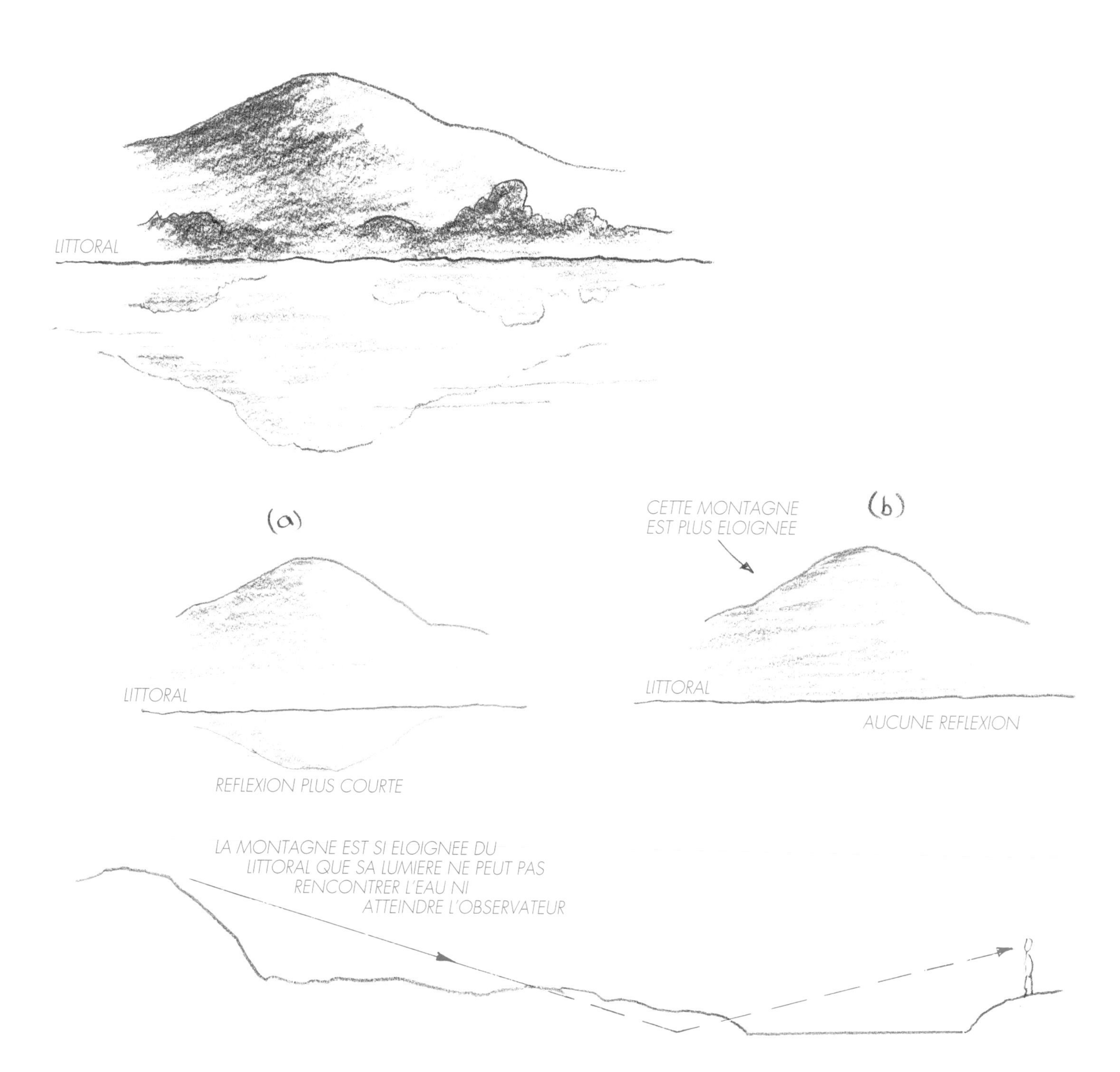

Exercice 10/**Réflexions de surfaces cachées**

Avant de découper la maison, lisez toutes les indications concernant les exercices 10 et 11. Si vous voulez éviter de détruire ce qui se trouve au verso de cette feuille, alors décalquez la feuille de découpage et reportez-la sur une autre feuille de papier ou de carton.

Vous pouvez percevoir très fréquemment des parties d'un bâtiment dans son image reflétée, invisibles dans le bâtiment en lui-même. Construisez une petite maison dans la feuille à découper ci-jointe. Rassemblez la partie inférieure avec de la colle ou du papier collant et fixez-y le toit. Placez ensuite la maison au bord de votre miroir et considérez son image reflétée tandis que vous la tournez dans les positions les plus variées. Vous verrez que, dans certaines positions, le dessous de la saillie du toit est visible dans l'image reflétée bien que vous ne puissiez voir que la surface extérieure du toit en regardant la maison en elle-même. Gardez la maison pour l'exercice suivant. Si vous n'avez pas envie de monter la maison, empilez tout simplement sur le bord du miroir quelques livres de telle sorte que les livres supérieurs soient en surplomb au-dessus des inférieurs et ce, dans votre direction. Dans l'image reflétée, vous verrez le dessous de ces livres en surplomb.

Exercice 11/**Réflexions et distance**

Nous voulons réaliser maintenant une montagne et l'utiliser avec la maison. Découpez la montagne et pliez les deux extrémités vers l'arrière pour qu'elle tienne debout.

Placez votre maison au bord du miroir qui se trouve à l'arrière. Mettez la montagne directement derrière comme s'il ne s'agissait en fait que d'une colline derrière la maison. Regardez l'image reflétée en deçà de l'étang. Vous verrez le reflet de la colline au-delà de celui de la maison.

Maintenant, poussez peu à peu la colline vers l'arrière et observez comment son reflet disparaît derrière la maison. Si vous déplacez finalement la colline assez loin en arrière, les réflexions disparaissent complètement.

Ce que vous avez vu signifie ceci: vous êtes libre de faire se refléter un objet ou non et ceci tout simplement en l'amenant plus près ou plus loin de la surface qui se reflète sans changer sa hauteur en quoi que ce soit.

Autres réflexions

Tandis que la plus grande partie des réflexions que vous rencontrez dans la peinture de paysages se passe sur des surfaces planes et horizontales, il y a beaucoup de réflexions sur des surfaces verticales comme par exemple des fenêtres et des parties de métal lisses; à l'intérieur, on trouve des réflexions sur toutes sortes d'objets en verre, d'objets métalliques, de carreaux, de bois poli, etc. Une description détaillée de telles réflexions exigerait un manuel particulier; toutefois, je peux vous exposer ici les choses qu'il faut observer.

Tout d'abord, peignez comme toujours ce que vous voyez. Il n'y a pas de règles pour cela. Mais regardez bien. Vous peignez peut-être par exemple une jatte en argent ventrue avec des réflexions d'objets aussi bien à l'intérieur qu'à l'extérieur et vous trouvez qu'il se passe de très drôles de choses (mais géométriquement compréhensibles) dans les réflexions. Quelquefois, quand on la compare à l'objet, l'image reflétée est à l'envers, quelquefois, elle est partagée en deux figures et puis elle se trouve encore déformée ou totalement sans forme. Il se peut aussi que la grandeur de l'objet et celle de la représentation soient bien différentes. Allez au fond des choses et trouvez ce que ces réflexions font là. Deuxièmement: simplifiez des réflexions compliquées afin que celles-ci ne règnent pas sur le dessin (à moins bien sûr que les réflexions soient vraiment le sujet de votre dessin). Normalement, vous n'avez pas besoin de recopier fidèlement une image reflétée dans un miroir. Souvent, quelques taches de couleur bien placées joueront le même rôle. Troisièmement: au cas où vous ne seriez pas sûr de ce qui se passera dans des conditions données, reprenez des essais comme ceux que nous avons entrepris dans les exercices précédents. Imitez une situation qui ne vous est pas évidente.

Exercice 10/**Réflexions de surfaces cachées**

Avant de découper, lisez toutes les indications concernant les exercices 10 et 11. Si vous voulez éviter de détruire ce qui se trouve au verso de cette feuille, alors décalquez la feuille de découpage et reportez-la sur une autre feuille de papier ou de carton.

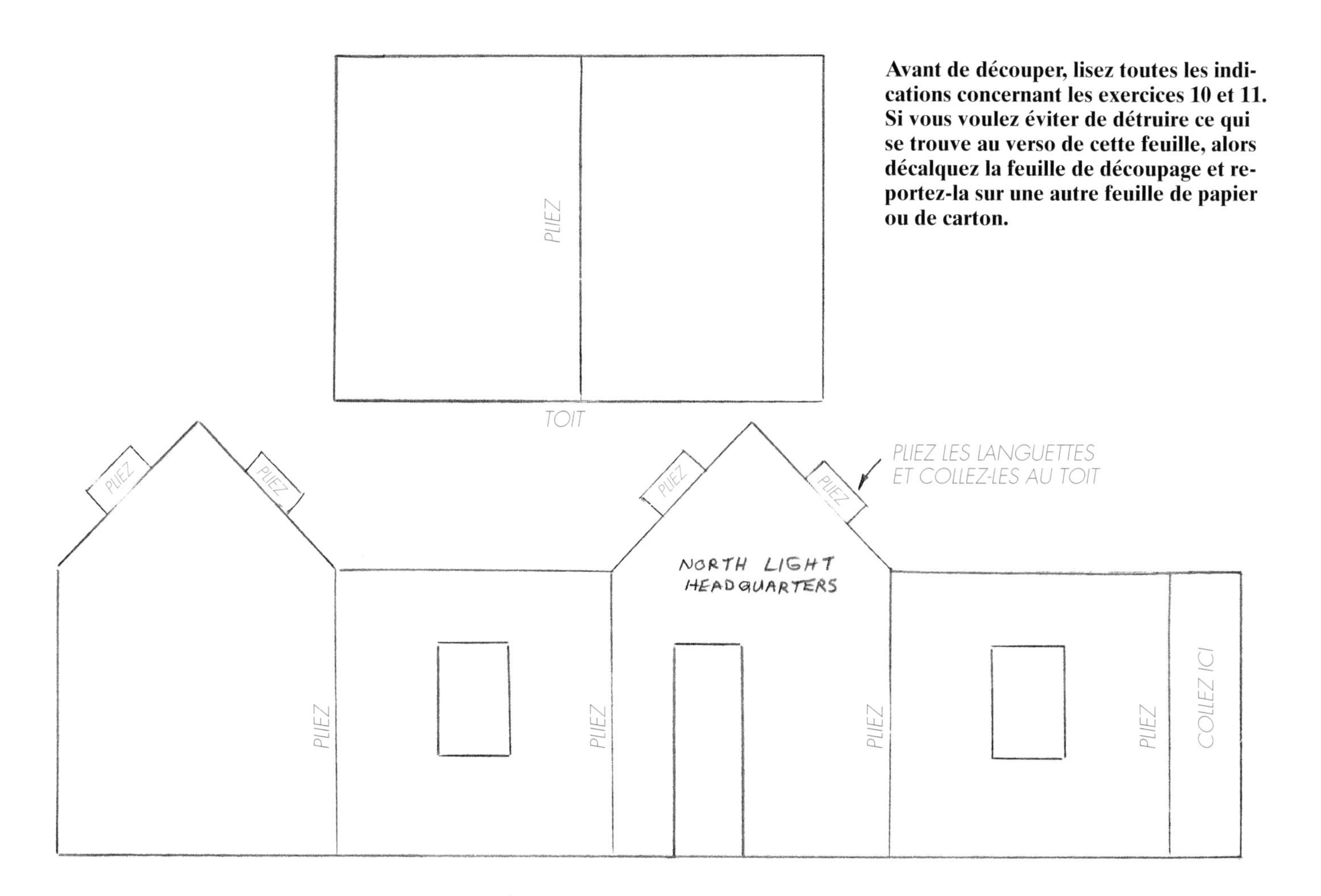

Exercice 11/**Réflexions et distance**

Réfractions

Je disais dans le dernier chapitre, qu'en pratique, le chemin que prenait la lumière pouvait être considéré comme rectiligne. Néanmoins, cette lumière peut être «brisée» si elle quitte un milieu comme l'eau par exemple et qu'elle entre sous quelque angle que ce soit dans un autre milieu comme par exemple l'air. Ce qui se passe là est à peu près la même chose que ce que nous voyons **en haut, ci-contre**.

La raison pour laquelle le rayon de lumière change de direction quand il passe de l'eau à l'air réside dans le fait qu'il bouge moins vite dans l'eau, plus dense que l'air. Je décris toujours le rayon comme s'il effectuait une sorte de petite rotation quand un côté du rayon traverse la surface de l'eau «épaisse» et trouve sa liberté dans l'air léger. Dès que le rayon se trouve complètement libre dans l'air, la lumière continue son chemin dans une nouvelle direction rectiligne.

Un observateur qui regarde de haut le poisson de l'esquisse **ci-contre** au **centre**, ne le verra pas là où il est véritablement, mais là où se trouve son image hachurée. En ce qui concerne l'œil et le cerveau de l'observateur, la lumière vient de A et non pas de B. Notre appareil optique reçoit la lumière qui pénètre dans l'œil et l'interprète comme si elle avait effectué un chemin rectiligne.

Pour la plupart des gens, la réfraction signifie que l'on ne peut pas toujours se fier à ce que l'on voit. Si, par exemple, vous plongez un bâton droit dans l'eau, vous verrez une baguette pliée en raison de la réfraction. Allez-y, tenez un crayon ou un bâton dans une cuvette d'eau et regardez bien comme il plie.

Ou regardez un objet au travers d'une bouteille ou d'un verre. L'esquisse **en bas, ci-contre**, montre comment je vois un crayon à dessin au travers d'une carafe à moitié remplie d'eau.

La réfraction offre quelque plaisir optique au peintre surtout quand il dessine des objets en verre. Dans ma carafe, toutes sortes de déformations diaboliques apparaissent quand la lumière d'un objet passe au travers de différentes combinaisons d'air, de verre et de liquides avant d'arriver à l'œil. N'ayez pas peur de peindre un tel objet et d'en représenter ce que vous voyez.

RAYON DE LUMIERE
AIR
EAU

OBSERVATEUR
AIR
EAU
A
B

CARAFE
CRAYON
LES DISTORSIONS BIZARRES MONTRENT COMMENT ON VOIT LE CRAYON A TRAVERS LES DIFFERENTES COMBINAISONS DE VERRE, D'AIR ET DE LIQUIDE
NIVEAU D'EAU

Erreurs fréquentes

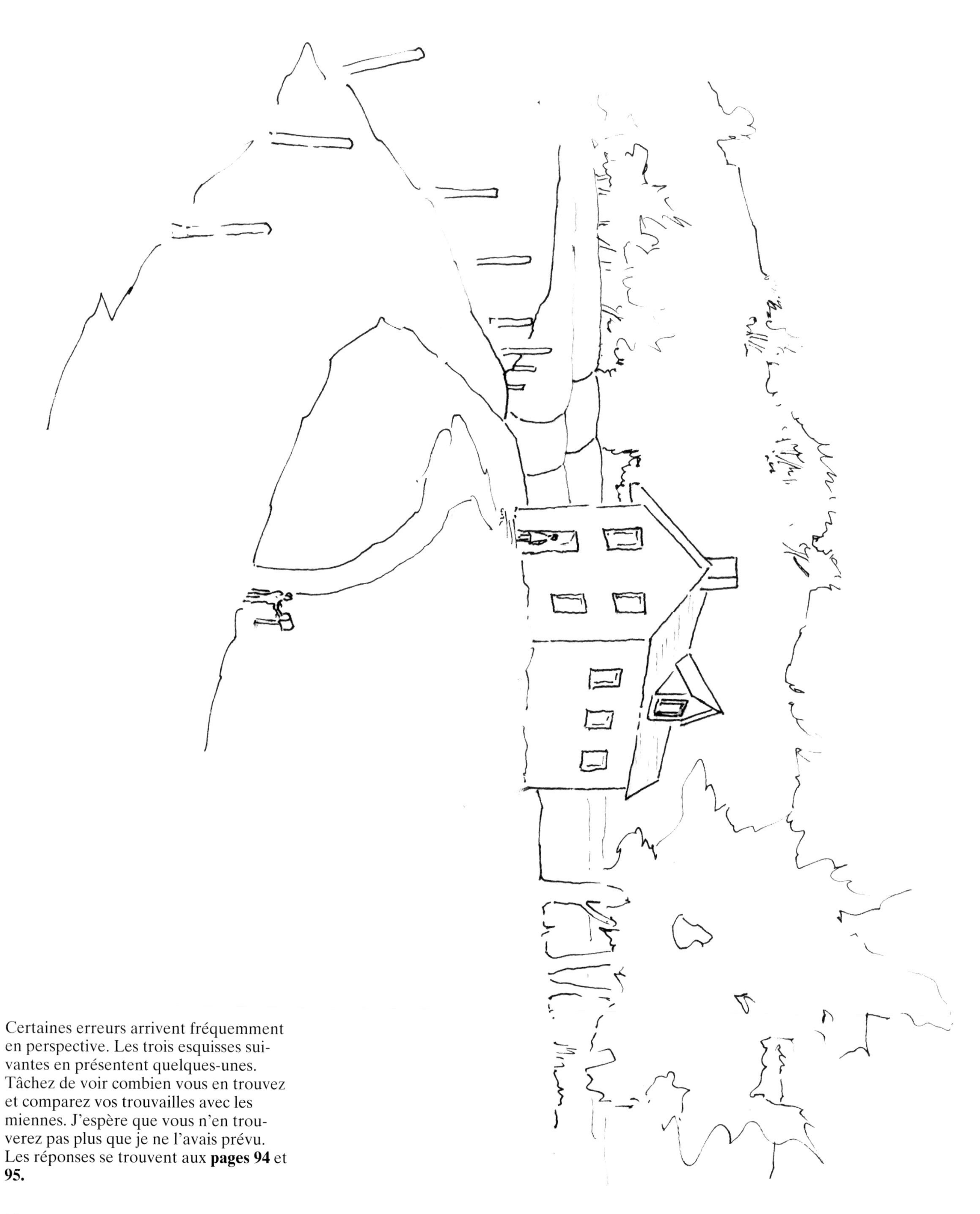

Certaines erreurs arrivent fréquemment en perspective. Les trois esquisses suivantes en présentent quelques-unes. Tâchez de voir combien vous en trouvez et comparez vos trouvailles avec les miennes. J'espère que vous n'en trouverez pas plus que je ne l'avais prévu. Les réponses se trouvent aux **pages 94** et **95.**

Erreurs fréquentes

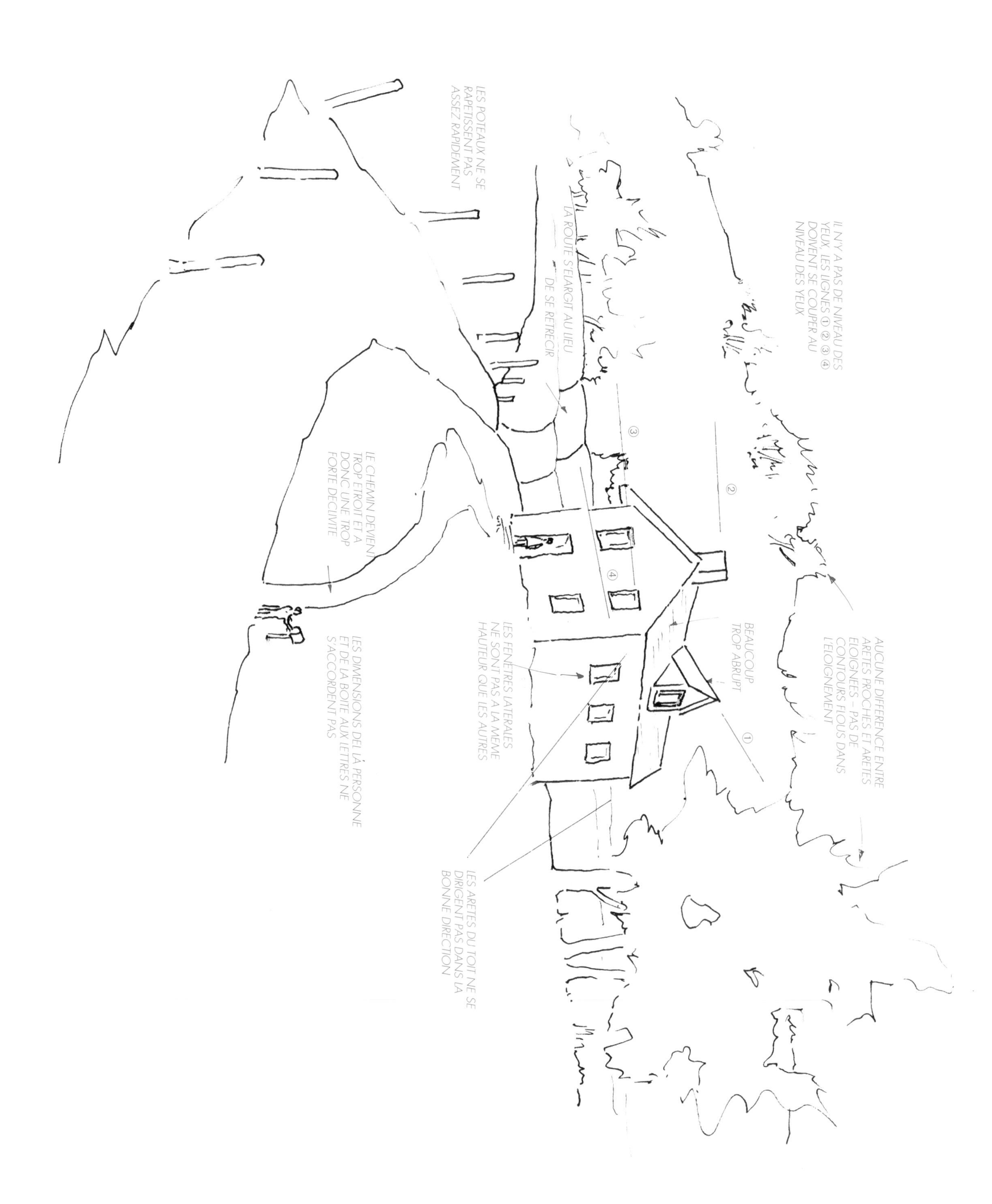

LE NIVEAU DES YEUX EST MAL CHOISI. EN SUIVANT LE BORD SUPERIEUR DE LA BOUTEILLE, IL EST ICI
CET ARC EST TROP ROND
CE VERRE EST AU FOND ET POURTANT IL A LA MEME DIMENSION QUE CELUI DU DEVANT
L'ELLIPSE SUPERIEURE DOIT ETRE PLUS ETROITE QUE L'ELLIPSE INFERIEURE
L'ARETE SUPERIEURE ET L'ARETE INFERIEURE NE SONT PAS DES ARCS
L'ELLIPSE SE TERMINE EN POINTE
L'ELLIPSE SE TERMINE EN POINTE
LE REFLET DOIT AVOIR LA MEME DIRECTION QUE L'ARBRE
FORME INCORRECTE

Limites

Soyez quelque peu prudent quant à l'utilisation des lois de la perspective. Bien que les procédés de perspective soient de puissants outils, ils ont leurs limites. Ce qui est exact mathématiquement ou théoriquement ne l'est pas obligatoirement dans votre dessin.

Nous avons parlé par exemple d'une manière irréprochable qui permet d'espacer des objets comme des poteaux par exemple pour qu'ils s'éloignent convenablement. Le procédé cité vous donne peut-être une répartition exacte des intervalles, cependant, le résultat ne doit pas toujours forcément convaincre ou plaire.

C'est justement avec cet exemple que plusieurs savants ont entrepris des expériences en présentant à des gens des dessins de poteaux s'éloignant dans lesquels la perspective (la perspective linéaire pour être plus précis) avait été employée conséquemment. Ils leur demandèrent de choisir entre ces dessins et d'autres dans lesquels on avait pris certaines libertés. Dans ces derniers, les poteaux qui s'éloignaient n'étaient pas si près les uns des autres, que l'auraient prescrit en fait les règles de la perspective. Mais les gens se décidèrent sans équivoque pour ces derniers.

Non pas que la perspective linéaire soit fausse – elle reprend bien plus ce qu'un bon appareil-photo enregistre - il s'agit simplement du fait que certaines nécessités psychologiques, d'après lesquelles les gens agencent les choses d'une certaine manière, ne doivent pas être laissées de côté. Dans le cas des poteaux, les gens ne voulaient manifestement pas qu'ils fuient aussi brusquement que dans la réalité. Je n'affirmerais pas que je pourrais donner la raison pour laquelle les choses se comportent de cette façon, mais je veux seulement signaler que vous devez remarquer le moment où un outil a tout fait pour vous, ce qu'il peut faire et quand il doit être mis de côté pour laisser la place à une bonne sensibilité.

Un autre exemple: la perspective linéaire est seulement utile au sein du champ visuel normal et humain, c'est-à-dire dans le domaine que vous voyez devant vous, à gauche et à droite, en haut et en bas, sans bouger ni la tête ni les yeux. En dehors de cet espace, au bord du champ visuel, les choses sont assez déformées. Et au-delà de cet espace, la perspective linéaire sera déformée elle aussi et sera donc inutile.

Un bon exemple de l'échec de la perspective linéaire en peinture est un très long mur ou aussi une frise décorative le long de l'arête supérieure d'un bâtiment. Il est tout à fait impossible de saisir un motif aussi étiré sans se déplacer concrètement pour regarder quelle longueur a le dessin ou pour reculer de telle sorte que l'on puisse avoir une vue d'ensemble complète, car c'est alors à ce moment que l'on reconnaît seulement quelques détails du dessin. Dans de telles situations, de nombreux artistes ont fait appel au découpage de la toile dans une série de motifs à un point de fuite chacun, au lieu d'essayer de parvenir à un motif qui s'étire en le dotant d'un seul jeu de points de fuite.

Malgré de telles restrictions, nous pouvons bien utiliser la perspective pour la grande majorité des motifs que nous dessinons et que nous peignons.

Maintenant que vous avez étudié ces deux manuels et que vous avez tout enregistré, laissez-moi vous recommander une dernière fois d'être modéré dans l'utilisation de ce qui nous a préoccupé ici. La perspective est un moyen qui permet d'obtenir une impression de profondeur dans un dessin ou une peinture, rien d'autre. La perspective n'est pas une fin en soi. Utilisés trop rigidement, les procédés de perspective pourraient écraser un dessin qui serait sinon expressif. Ne vous laissez pas lier les mains.